강창훈
고려대학교 동양사학과를 졸업하고, 같은 학교 대학원 사학과에서 석사 학위를 받았다. 내 공부가 세상에 별 도움이 되지 않을 것 같다는 생각에 공부를 그만 두고, 작가라는 새로운 꿈을 차근차근 준비하자는 마음으로(한편으로는 당장 먹고사는 문제를 해결하기 위해) 출판사에 입사했다. 20년 가까이 주로 역사책을 편집했다. 가장 오랜 시간 함께한 책은 '아틀라스 역사 시리즈'(사계절출판사, 전5권, 2016년 제57회 한국출판문화상 편집상 수상)로 10년 넘게 3권을 편집했다.
10년 전부터는 한 출판동네 선배의 추천으로 작가 생활을 시작했다. 물론 분야는 역사이고 주로 어린이책을 썼다. 『중국사 편지』, 『일본사 편지』, 『세 나라는 늘 싸우기만 했을까』, 『징비록, 임진왜란을 낱낱이 기록하다』, 『왜 그렇게 생각해?』, 『우리 유물 이야기』, 『백범일지』, 『추사 김정희, 글씨로 세상에 이름을 떨치다』 등을 썼고, 청소년을 대상으로 쓴 『철의 시대』로 제5회 창비청소년도서상 대상을 수상했다. 옮긴 책으로는 『옥스퍼드 중국사 수업』, 『수성의 전략가 쿠빌라이 칸』 등이 있다.
현재 어린이와 청소년을 대상으로 하는 역사책을 주로 쓰면서, 편집과 교정, 번역 등 역사 분야 일이면 마다하지 않고 하고 있다.

# 아이와 함께 역사 공부하는 법

# 아이와 함께 역사 공부하는 법

## 시야를 넓게, 생각을 깊게

강창훈 지음

유유

# '다름'을 긍정하는 습관을 기르는 시간

"난 안 그랬는데, 쟨 왜 저런지 모르겠어!"

아이를 둔 친구에게 종종 듣는 말입니다. 아이를 키우고 있는 저 역시 공감할 때가 적지 않지요. 부모들은 왜 이런 말을 할까요? ☺ 아마도 내 자식은 나와 같거나, 최소한 비슷했으면 하는 생각이 무의식에 깔려 있기 때문이 아닐까 싶습니다.

아이를 대할 때마다 잣대를 하나 갖다 댑니다. 이때 잣대는 바로 나 자신이죠. 아이가 그 잣대와 거리가 먼 행동을 할 때마다 짜증을 내고, 나아가 아이에게 나의 잣대를 강요합니다. '이건 아닌 것 같은데'라는 생각이 들어도, 막상 내 잣대를 포기하자니 그게 잘 안 되지요.

이럴 때 이렇게 생각해 보면 어떨까요?

'내 아이는 나와 달라.'

생각의 전제를 '같다'에서 '다르다'로 바꾸는 겁니다. 부모의 잣대와 아이의 잣대, 잣대가 두 개가 되는 거죠. 이제는 아이가 내 잣대를 따르지 않아도 고개를 끄덕이게 됩니다.

'너는 너의 잣대로 그렇게 했구나.'

'그 잣대로라면 그럴 수도 있겠네.'

'같다'는 전제에서는 '도대체 왜 다른 거야?' 단계에서 '짜증나!' 단계까지 간 뒤 거기에서 딱 멈추어 버리지만, '다르다'는 전제에서는 '다를 수 있어'의 단계를 거쳐 자연스럽게 아이의 마음을 들여다보는 단계로 나아갈 수 있습니다.

"말이야 쉽지! 그러는 당신은?"

맞습니다. 말하기는 쉬워도 실행에 옮기기는 어렵습니다. 워낙 오랫동안 굳어진 습관이라 그런지 마음먹은 대로 잘 되지 않습니다. 그래도 아이의 잣대를 이해하고 인정하려는 노력은 해야 합니다. 그것이 어른과 아이 사이 소통의 출발점이고, 여기에서부터 아이 교육이 시작되니까요.

'다르다'는 전제는 아이를 키우는 부모에게만 필요한 것이 아닙니다. 부모에서 아이로 확장해야 합니다. 아이에게도 반드시 필요한 생각이니까요. 아이는 태어나면 맨 처음 보호자를 만나고, 학교에 가면 선생님과 친구를 만나고, 사회에 나가면 더 다양한 사람을 만납니다. '다르다'를 전제하고 생각하는 습관은 언제, 어디서, 누구와 상대하든 반드시 필요합니다. 어렸을 때부터 길러 주어야 하는 이유죠.

제 아들은 수다쟁이입니다. 집에 오면 그날 하루 있었던 일을 조잘조잘 잘도 떠들죠. 신나는 일도 있지만, 속상한 일도 있습니다. 종종 이런 에피소드가 밥상 위에 올라옵니다.

"아빠, 우리 반 짝꿍 장난이 너무 심해. 짜증 나. 오늘은 수업 시간에 나까지 선생님한테 혼났어!"

이럴 때 부모가 어떻게 대꾸하면 좋을까요?

"아, 그랬니? 그 친구가 왜 그랬을까? 너와 다른 점이 있어서 그런 거 아닐까? 좀 더 이해하려고 노력해 봐!"

이렇게 폼 잡고 충고하면 아이가 어떤 반응을 보일까요?

"지당하신 말씀입니다. 그 친구를 이해하려는 노력이 부족했습니다!"라고 할까요? 절대 그럴 리 없습니다. 그 친구에 대한 짜증이 자기편을 들어주지 않는 엄마, 아빠에게 향하게 되겠죠. 제가 아이라도 짜증이 날 것 같습니다. 이럴 땐 아예 아이 편을 들어 주는 것이 더 낫습니다.

"너 진짜 열 받았겠다. 그 녀석은 지난번에도 그러더니 오늘 또 그랬어?"

'다르다'의 생각 습관이 아무리 중요해도 무작정 주입하는 것은 좋지 않습니다. 전략이 필요하죠. 저마다 다를 텐데요, 저는 나름대로 터득한 전략이 하나 있습니다. 제 직업과 관련이 있습니다.

저는 어린이책 작가입니다. 주로 역사를 소재로 책을 쓰는데요, 인물을 다루든 사건을 다루든 '다르다'의 전제에서 생각하라는 메시지를 어린이 독자에게 전하려 애씁니다. 아이와 대화를 나눌 때도 저의 직업을 활용합니다. '다르다'의 생각 습관을 심어 주고 싶을 때 직접적으로 말하기보다는 역사적 소재에서 알맞은 사례를 찾아 메시지를 전하는 거죠.

역사, 그중에서도 한국사는 현재 수능 필수 과목입니다. 학교에 다니는 아이라면 좋든 싫든 초등학교 5학년 때부터 역사 공부를 해야 합니다. 더 앞서 선행학습을 하는 아이도 있을 테고요. 그런데 역사를 학교 수업의 한 과목, 수능의 한 영역으로만 대하자니 많이 아쉽습니다. 여러모로 효용성이 큰 분야거든요. 아이에게 '다르다'의 생각 습관을 길러 주는 데도 아주 좋은 공부입니다. 하지만 학교 밖에서, 특히 부모로서 아이에게 역사를 가르치기는 쉽지 않지요. 학교 다닐 때 시험 보느라 겨우 외운 것조차도 전혀 기억나지 않는다는 분이 제 주변에도 많습니다. 그런데 역사는 교과서에만 있는 것이 아닙니다. 그야말로 도처에, 조금만 관심을 기울이면 우리 일상에 매우 밀착해 있습니다.

영화 「매트릭스」에서 아주 인상적으로 본 장면이 있습니다. 주인공 네오와 모피어스라는 인물이 처음 만나는 장면인데, 모피어스가 이렇게 말합니다.

"매트릭스는 도처에 있어. 우리 주위의 모든 곳에. 바로 이 방 안에도 있고 창밖을 내다봐도 있고 TV 안에도 있지. 출근할 때도 느껴지고 교회에 갈 때도 있고 세금을 낼 때도 있어."

자, 여기에 '매트릭스' 대신 '역사'를 넣어 읽어 볼까요?

"역사는 도처에 있어. 우리 주위의 모든 곳에. 바로 이 방 안에도 있고 창밖을 내다봐도 있고 TV 안에도 있지. 출근할 때도 느껴지고 교회에 갈 때도 있고 세금을 낼 때도 있어."

생각해 보면 역사는 정말 도처에 있습니다. 멀리 갈 것도 없어요. 하루 종일 집에만 있어도 충분히 느낄 수 있습니다. 가장 먼저 눈에 들어오는 것이 책입니다. 거실과 방 책장을 살펴보면 어른 책, 아이 책 할 것 없이 역사 분야 책이 곳곳에 꽂혀 있습니다. 텔레비전을 켜고 채널을 돌리면, 역사 다큐멘터리와 교양 프로그램을 쉽게 접할 수 있죠. 사극 드라마나 영화는 말할 것도 없고, 역사를 소재로 한 예능이나 스토리텔링 프로그램도

부지기수입니다. 뉴스나 신문기사도 역사를 품고 있는 경우가 꽤 있습니다. 현재 일어난 사건을 보도하면서 그 배경을 설명하곤 하는데, 이것 역시 크게 보면 역사의 범주에 속합니다. 집을 나서면 더 많습니다. 주말에 가끔 나들이 가는 고궁이나 왕릉, 사찰도 역사를 생생하게 음미할 수 있는 공간입니다. 박물관은 그 자체가 역사 백화점이죠. 옛 유물을 살펴보면서 조상의 지혜를 느낄 수 있습니다. 좀체 역사스러워 보이지 않는 공간에도 역사가 내재해 있습니다. 역사라고 해서 꼭 거창해야 할 필요는 없죠. 나와 가족의 역사도 역사입니다. 집에 걸어 놓은 대형 결혼기념 사진이나 아이의 돌잔치 사진, 컴퓨터와 스마트폰에 저장되어 있는 사진과 동영상도 모두 의미 있는 역사 자료입니다.

실제로 우리는 아이를 키우면서 평소에 역사에 관한 대화를 굉장히 많이 나눕니다. 다만 의식하지 못할 뿐이죠. 아이가 역사책을 읽다가 갑자기 용어의 뜻을 물어서 진땀을 흘린 적이 있지 않으세요? 함께 TV에서 사극 영화를 보다가 "저게 정말 있었던 일이야?" 하면 "나중에 말해줄게" 하고는 슬쩍 스마트폰으로 검색하다 대답의 타이밍을 놓친 적도 있을 거고요. 전 대통령의 탄핵심판 과정이 보도되는 장면을 두고 "저 사람, 뭘 잘못한 거야?" 하면 어느 정도 선에서 대답하면 좋을까 고민하기도 합니다. 박물관이나 역사 유적에 갔을 때,

현장학습으로 단련된 아이들에게 '지적으로 밀리는(?)' 경험도 종종 하게 되고요.

'도처에 있는 역사를 소재로 내 아이에게 '다르다'의 생각 습관을 길러 줄 수 없을까?'

제가 어린이 역사책을 쓰고, 어린이 독자와 소통하고, 더 나아가 제 아이와 '역사적인' 대화를 나누면서 쌓아 온 경험과 고민을 이 책에 풀어 보았습니다.

여러분도 이번 기회에 도처에 널린 역사를 가지고서 아이가 '다르다'의 생각 습관을 기르고, 나아가 '차이를 즐기는' 단계로 진입할 수 있게 이야기하고 영화도 보고 여행도 가면서 함께 공부해 보면 어떨까요?

2019년 12월

강창훈

# 1
# { 사람은 다양한 얼굴을 하고 있다 }

어느 날 한 친구가 황금 안대를 한 사람의 사진을 보내 주었습니다. 예상하셨겠지만 2000년대 초에 인기를 끈 사극 드라마 「태조 왕건」의 궁예입니다. 그런데 다시 보니 안대가 하나가 아니라 둘입니다. 합성을 해서 안대를 두 개로 만들고 엑스X자 모양으로 붙여 두 눈을 모두 가려 버린 거죠. 너무 웃겨서 아이에게 보여 주었습니다.

"뭐야? 푸하하하!"

아이는 저보다 더 빵 터졌고 이어서 부자가 함께 키득거리며 관심법이 어쩌구, 마구니가 어쩌구 하며 궁예의 성대모사 놀이에 빠져들었습니다. 그 와중에 생각나는 것이 있어서 아이에게 물었습니다.

"궁예도 「한국을 빛낸 100명의 위인들」에 나오나?"

"글쎄, 인터넷에서 찾아볼까?"

찾아보니 없습니다. 「태조 왕건」이 방영된 이후에 나온 노래였다면 궁예도 왕건, 견훤과 함께 100명의 명단에 넉넉하게 들어갔을 텐데요. 아마 '황금 안대 궁예' 정도가 되었을 것 같습니다.

"와, 4절까지 있어? 아니, 5절까진가? 노래가 생각보다 엄청 길구나. 이 노래 다 외웠어?"

"벌써 옛날에, 1학년 때 다 외웠지. 지금은 다 까먹었지만."

"그런데 노래에 나오는 사람이 정말 100명 맞아?"

갑자기 든 궁금증에 아이와 함께 가사를 검색해 정말 100명이 맞는지 세어 보았습니다.

1절 아름다운 이 땅에 금수강산에 단군 할아버지가 터 잡으시고 홍익인간 뜻으로 나라 세우니 대대손손 훌륭한 인물도 많아. 고구려 세운 동명왕 백제 온조왕 알에서 나온 혁거세 만주 벌판 달려라 광개토대왕 신라 장군 이사부 백결선생 떡방아 삼천 궁녀 의자왕 황산벌의 계백 맞서 싸운 관창 역사는 흐른다.

2절 말 목 자른 김유신 통일 문무왕 원효대사 해골물 혜초 천축국 바다의 왕자 장보고 발해 대조영 귀주대첩 강감찬 서희 거란족 무단정치 정중부 화포 최무선 죽림칠현 김부식 지눌국사 조계종 의천 천태종 대마도 정벌 이종무 일편단심 정몽주 목화씨는 문익점 해동공자 최충 삼국유사 일연 역사는 흐른다.

3절 황금을 보기를 돌같이 하라 최영 장군의 말씀 받들자 황희 정승 맹사성 과학 장영실 신숙주와 한명회 역사는 안다. 십만 양병 이율곡 주리 이퇴계 신사임당 오죽헌 잘 싸운다 곽재우 조헌 김시민 나라 구한 이순신 태정태세 문단세 사육신과 생육신 몸 바쳐서 논개 행주치마 권율 역사는 흐른다.

4절 번쩍번쩍 홍길동 의적 임꺽정 대쪽 같은 삼학사 어사 박문수 삼 년 공부 한석봉 단원 풍속도 방랑 시인 김삿갓 지도 김정호 영조대왕 신문고 정조 규장각 목민심서 정약용 녹두장군 전봉준 순교 김대건 서화가무 황진이 못 살겠다 홍경래 삼일천하 김옥균 안중근은 애국 이완용은 매국 역사는 흐른다.

5절 별 헤는 밤 윤동주 종두 지석영 삼십삼 인 손병희 만세만세 유관순 도산 안창호 어린이날 방정환 이수일과 심순애 장군의 아들 김두한 날자꾸나 이상 황소 그림 중섭 역사는 흐른다.

"'삼십삼 인 손병희'를 서른세 명으로 세는 건 아니겠지? 그거 합치면 백 명이 넘어."

"'삼천 궁녀 의자왕'이 3천 명 아냐?" ☺☺

저희가 센 바로 노래에 등장하는 인물은 아흔일곱 명이었습니다. 몇 번을 더 헤아려도 세 명이 모자라는 겁니다. 죽림칠현의 일곱 명, 사육신과 생육신 도합 열두 명도 잘 챙겼는데, 도대체 뭘 빠뜨린 거지? 결국 다시 인터넷 검색을 해서 친절하게 백 명의 이름을 하나하나 적어 놓은 글을 찾았습니다.

"아! 4절의 '삼학사' 세 사람을 깜박했다!"

"삼학사가 뭐야?"

"찾아봐!"

아이가 스마트폰으로 검색을 하는 사이, 저는 노트북으로 인터넷 서점에 들어가 노래 제목을 검색했습니다. 예상은 했지만 제목이 같은 책만 무려 스무 종이 넘었습니다. 출판사들이 이런 핫한 아이템을 그냥 둘 리가 없죠. 노래 가사와 함께 각 인물의 일생을 사전처럼 정리한 책이 많았습니다. 좀 더 찾아보니 이 노래가 초등학교 교과서에도 실렸다고 합니다. 이 책의 독자 중에 이 노래를 학교에서 직접 부르고 외운 사람은 아마 20~30대일 겁니다. 40대인 저도 불러 보긴 했지만, 대학 시절이었죠. 노래방에 갔을 때 친구가 장난으로 선곡해서 함께 신나게 불렀던 기억이 나네요.

1991년에 나온 이 노래는 30년 가까이 지난 지금도 아이들 사이에서 인기가 높습니다. 왜 그럴까요? 따라 부르다 보면 딱딱하고 어렵게 느껴지는 역사 속 인물과 사건을 재미있고 자연스럽게 외울 수 있기 때문일 겁니다. 소재 선택을 잘했다고 봅니다. 역사라는 장르에서 가장 친근하게 접할 수 있는 소재가 인물이니까요. 인물의 이름과 대표할 만한 사건 혹은 단어를 묶은 가사를 읊으면서 어렵지 않게 역사에 입문하는 겁니다.

생각해 보니 어린 시절의 저도 인물 이야기를 통해 역사를 처음 접했습니다. 그때는 인물 이야기가 아니라 '위인전'이라고 불렀죠. 거실 책장에 언제 산 것인지 모를 50권짜리 한국 위인전 시리즈와 15권짜리 세계 위인전 시리즈가 꽂혀 있었습니다. 초등학생 때 다 읽은 것이 화근(?)이 되어 역사를 좋아하게 되고 전공으로도 선택하고 지금도 역사책을 만들고 쓰며 그 길을 걷고 있으니 저에게 위인전은 역사 입문의 장 이상이었던 셈입니다.

사실 저는 어린이책 작가로 일하며 오랫동안 콤플렉스 하나를 가지고 있었습니다.

'나는야 어린이를 모르는 어린이책 작가!'

출판사에서 편집자로 일한 지 십 년쯤 되었을 무렵, 출판사를 운영하는 한 선배가 어린이책을 한번 써 보라고 제안했습니다.

"일단 두 꼭지 정도만 써 볼게요. 마음에 안 드시면 없던 일로 하죠!"

그러고는 편하게 썼는데 의외로 괜찮다는 평을 듣고 말았습니다. 무조건 쉽게 쓰자 생각하고 쓴 게 먹힌 것이죠. 그러나 어린이책이라는 것이 쉽게만 쓴다고 능사가 아니라는 사실을 깨닫기까지는 그리 긴 시간이 걸리지 않았습니다.

'내가 어린이를 아나?'

첫 책을 내고 본격적으로 어린이책 작가의 길에 들어설 무렵부터 가져 온 오래된 질문입니다.

저는 학교 선생님이 아닙니다. 어린이를 대상으로 학원 강의를 해 본 적은 있지만 겨우 석 달 정도의 경험인데다 20년 전의 일이죠. 어린이 관련 교육 상품은커녕 장난감을 만들어 본 적도 없습니다. 어린이책을 쓴다는 것은 어린이와 대화를 나누는 일일 텐데, 저는 상대가 어떤 사람인지 잘 모르는 상태에서 말부터 걸어버린 상황이었습니다. 시간이 지나면서 종종 기회가 생기긴 했습니다. 어린이를 대상으로 역사 강연을 하면서 아이들을 만나기도 했고, 지인의 자녀를 모아 박물관 견학을 함께 하면서 이런저런 대화도 나눌 수 있었습니다.

그리고 이런 약점을 보완하기 위해 앞서 출간된 어린이 역사책을 분석했습니다. 해당 분야 책의 시장 상황이 어떤지 큰 틀에서 파악하고, 기존에 나온 책을 분석해 장점은 취하고 단점은 반면교사로 삼자는 생각에서였죠. 그러나 어린이 역사책 분야도 굉장히 폭이 넓기 때문에 연구 주제를 좁힐 필요가 있었고, 그래서 선택한 분야가 역사 인물 책이었습니다. 역사 중에서도 대개의 아이들이 가장 먼저 접하는 분야니까요.

관심을 가지고 살펴보니 어린이책 출판 시장에서는 저에게 익숙한 '위인전'이라는 말 대신 '인물 이야기'라는 말이 통용되고 있었습니다. 1990년대 이후에 나타난 현상이라고 하는데요, 가장 큰 이유는 역사 인물을 다루는 책에서 우리가 흔히 생각하는 '위인'의 비중이 예전보다 줄었기 때문입니다. 훌륭한 정치가나 나라를 위해 목숨을 바친 장군, 독립운동가의 인기가 여전히 높긴 하지만, 최근 들어 경제인, 과학자, 운동선수, 연예인 등 다양한 분야에서 활동하는 사람의 비중이 크게 늘었습니다. 인터넷 서점에서 어린이 인물 이야기책을 판매량 순으로 검색하면, 세종대왕, 이순신, 김구 등 누구나 예상 가능한 역사 인물 사이에 스티브 잡스, 김연아, 손흥민, BTS 등 요즘 아이들이 좋아하는 유명인의 이름이 많이 보입니다. 그러니 '위인전'이라는 용어는 어울리지 않게 된 것이죠.

그런데 제가 보기에는 이유가 하나 더 있는 것 같습니다. 위인전의 단골손님이었던 정치가나 장군, 독립운동가를 다룰 때의 서술 태도 역시 달라졌다는 점입니다. 최근에 나온 역사 인물 책을 보면 머리말에서부터 다음과 같이 이야기하는 경우를 종종 볼 수 있습니다.

"우리 책은 과거의 위인전처럼 인물을 절대적 영웅으로 치켜세우지 않는다. 영웅은 어린 시절부터 그 싹을 보였다는 식으로 서술하지 않는다."

"어린이들이 이야기를 읽고 기가 죽지 않도록 서술한다."

더 나아가 어떤 책에서는 "인물의 위대성뿐 아니라 다양한 모습을 입체적으로 보여 주겠다"라고 밝히기도 합니다. 위인전을 대신해 인물 이야기라는 표현이 쓰이게 된 또 하나의 이유겠지요. '절대적 영웅으로 치켜세우지 않기'나 '인물의 모습을 입체적으로 보여 주기' 등 누가 보아도 바람직한 변화입니다.

그런데 이런 인물 이야기책도 너무 많아서 고민스럽습니다. 온오프라인 할 것 없이 서점에는 어린이 인물 이야기책이 넘쳐 납니다. 적게는 열 명, 많게는 수십 명의 인물을 한 시리즈로 묶어 펴내는 경우도 많죠. 여기에 전집류까지 합치면 출판되는 책이 줄잡아 50종은 넘을 겁니다. 이 중에 어떤 책을 골라야 할까요? 어떤 책이 아이에게 조금이라도 더 도움이 될까요? 책을 고를 때마다 고민되는 문제일 텐데, 저는 이때 서점의 판매 순위나 책의 광고 문구 등만 살필 것이 아니라 시간을 조금 더 들여 책을 직접 읽어 보기를 권합니다. 한 아이가 한 역사 인물의 이야기를 읽고자 할 때 여러 출판사의 책을 두 종 이상 읽을 가능성은 크지 않습니다. 그럴 수밖에 없는 것이 읽어야 할 다른 책이 너무나 많으니까요. 그래서 아이는 어른이 될 때까지 자신이 읽은 책 내용을 중심으로 그 인물의 모습을 기억하며 그것이 평생 유지될 가능성이 큽니다(역사를 업으로 삼는 사람이나 역사 마니아가 되어 여러 판본의 책을 읽고 비교하는 극소수를 제외하고 말입니다). 그러니 책을 골라 주는 보호자의 역할이 중요할 수밖에요.

물론 역사 연구자가 아닌 이상, 작가의 서술 방향이 어떤지 판별하기는 쉽지 않습니다. 그러나 작가가 그 인물을 어떻게 보는지, 인물의 어떤 점을 부각시키는지, 그의 관점이 아이에게 어떤 영향을 미칠지 정도는 대략이나마 파악할 수 있습니다. 나아가 보호자가 먼저 읽고 고른 책을 아이가 읽으면, 보호자와 아이가 자연스럽게 책의 주인공에 대한 토론을 할 수도 있습니다. 이러한 소통의 과정은 무척 중요합니다. 아이가 그 인물에 대해 하나의 인상만 가지고 책을 덮는 것이 아니라, 생각을 다음 단계로 진전시키는 힘을 기를 수 있을 테니까요.

제 아이는 영화를 무척 좋아합니다. 한 달에 최소 두

번은 엄마, 아빠와 함께 동네 영화관에 가는 편이죠. 집에서도 영화에 푹 빠져 있긴 마찬가지입니다. TV를 켜면 OCN, CGV 등 달달 외우고 있는 대여섯 개의 영화 전문 채널을 쭉 돌려 본 뒤 볼 영화를 선택합니다. 한 번 보고 끝내는 경우도 없습니다. 본 거 또 보고, 또 보고. 장르를 불문하고 영화라면 다 좋아하지만 그중에서도 히어로물을 가장 좋아합니다. 그 장르에 관심이 없는 제가 옆에 앉아 심드렁한 표정을 지으면, 눈치 빠른 아이가 이런 반응을 보입니다.

"이 영화는 아빠도 재밌을 걸?"

그러고는 영화의 줄거리를 읊기 시작합니다. 아빠를 이 영화에 묶어 두어 채널이 돌아가는 걸 막겠다는 심산이죠. 그러나 들어주는 일이 만만치가 않습니다. 아이의 입에서 튀어나오는 등장인물의 이름(그것도 주로 영어 이름이라 헷갈리는!)이 늘어날수록 저의 뇌는 조금씩 폭발 상태에 이릅니다. 이해력이 떨어지는 아빠를 위해 아들이 선택하는 방법이 하나 있긴 합니다.

"아버님, 잘 보세요! 얘는 좋은 분이야. 쟤는 나쁜 놈이고… …."

등장인물의 계통이 명쾌하게 정리되면서 저의 표정이 밝아지고, 아이도 그제야 한시름을 놓습니다. 그러나 뒤끝이 썩 좋지는 않습니다. 모든 인물을 선악의 이분법으로 나누는 버릇을 아이에게 심어 주는 건 아닐까 싶어서 말이죠.

사실 이와 비슷한 우려를 「한국을 빛낸 100명의 위인들」 가사를 보면서도 한 적이 있습니다. 이 노래는 제목 그대로 '100명의 위인'을 소개합니다. 대부분이 정치, 군사, 경제, 문화 분야에 훌륭한 업적을 남긴 쟁쟁한 인물이죠. 그러나 통념상 '위인'이라고 하기에는 좀 그렇다 싶은 인물도 눈에 띕니다. 가장 대표적인 예가 '매국 이완용'입니다. '애국 안중근'과 쌍으로 운율을 맞추기 위해 등장시킨 듯합니다. 무신정변을 일으킨 '무단정치 정중부'도 부정적 평가가 우세한 인물입니다. '태정태세문단세'는 조선 초기 일곱 임금을 한 번에 외울 수 있는, 작사가의 센스가 돋보이는 대목이지만 세종을 제외하고는 역사적 평가가 다양해서 어린이책에서 위인으로 잘 다루지 않습니다. '번쩍번쩍 홍길동', '의적 임꺽정'은 실존 인물이지만 소설을 통해 인기를 얻은 경우니 노래 속 다른 인물들과는 결이 조금 다르고, '장군의 아들 김두한'은 아버지 김좌진 대신에 아들이 들어간 것이 이상합니다. 이수일과 심순애는 실존 인물도 아니고요.

"이 사람은 공인된 위인도 아닌데, 왜 여기에 들어갔지?" 하고 문제 제기를 하려는 것이 아닙니다. 저 개인적으로는 이런 인물 구성이 마음에 들어요. '위인'의 반열에 올라서는 안 되거나 오를 정도는 아니지만, 우리 역사의 전개에 영향을 끼친 사람을 포함시켜서 노래를 더욱 생동감 넘치게 하는 것 같거든요. 역사는 위인만의 전유물이 아니며 다양한 사람이 함께 자아내는 것이라는 메시지를 아이들에게 심어 주어 바람직하다는 생각입니다. 오히려 문제 삼고 싶은 것은 인물이 위인인지 여부가 아니라, 이 노래의 콘셉트입니다. 인물에 대한 평가를 짧은 한 단어나 구절로 정리하다 보니 일면적일 수밖에 없는 거죠.

두 가지 근거를 들어 보고 싶은데요, '삼천궁녀 의자왕'과 '신숙주와 한명회 역사는 안다'입니다. 의자왕은 백제의 마지막 왕이고 망국의 군주입니다. 그런 이미지를 '삼천궁녀'라는 한 단어로 부각시킨 것이죠. 백제가 나당 연합군이라는 외부 요인에 의해 멸망한 측면도 있고, 안으로부터 스스로 무너진 측면도 있겠지만, 어쨌든 의자왕이 백제의 통치자로서 백제 멸망에 가장 큰 책임이 있다는 것에는 이견이 없을 겁니다. 그러나 의자왕이 주지육림에서 흥청망청 놀다가 마지막에 궁지에 몰려 삼천궁녀와 함께 낙화암에서 뛰어내렸다는 이야기는 결코 사실이 아닙니다. 백제를 멸망시킨 측이 그 정당성을 주장하기 위해 의자왕을 혼군, 폭군으로 몰아가는 과정에서 만들어진 이야기일 가능성이 크죠. 사실 의자왕은 궁녀가 3천 명도 아니었고, 궁녀들과 함께 금강에 뛰어내려 자살하지도 않았습니다. 당나라의 수도

장안으로 끌려가서 그곳에서 최후를 마쳤죠.

'신숙주와 한명회 역사는 안다'는 이 노래 가사 중에서 가장 오싹한 구절이 아닐까 싶습니다. 여기에서 '역사는 안다'는 구절은 가치중립적으로 보이는 표현입니다. 그러나 그 바탕에는 세조가 왕위를 찬탈하고 조카 단종을 죽이는 데 앞장선 두 사람에게 역사의 준엄한 심판이 있을 것이라는 경고의 의미가 깔려 있지요. 하지만 신숙주를 한명회와 동일선상에 올려놓고 평가하는 것은 좀 지나치다는 생각입니다. 신숙주는 세종~세조 시대에 다방면으로 활동한 탁월한 관료였습니다. 특히 여러 언어에 능통해서 대일 외교에 큰 역할을 했는데, 조선시대사에서 중요한 업적으로 평가받고 있습니다. 한명회와는 활동한 시기는 같아도 명백히 다른 삶을 산 인물입니다.

저는 의자왕과 신숙주의 사례를 가지고 아이와 이야기를 나누어 보기로 했습니다. 역사 인물에 대한 평가는 신중해야 한다는 메시지를 주고 싶어서 말이죠.

"너 한국사 책 읽고 있지? 고려시대까지 읽었다고 했나? 한번 물어보자. 의자왕 알지?"

"의자왕? 의자에만 앉아 있어서 의자왕인가?"

"나보고는 아재개그 하지 말라더니……."

"의자왕? 기억이 잘 안 나는데. 책에 나왔던가?"

헐! 아이는 초롱초롱한 눈망울을 하고, 금시초문이라

는 표정을 지었습니다.

"신라가 백제 공격할 때 어느 나라하고 연합했지?"

"당나라지. 나당연합군! 신라할 때 '나', 당나라할 때 '당', 나당연합군!"

어린 시절부터 어려운 한자어가 나올 때마다 한자 뜻으로 풀이해서 설명하곤 했는데, 그게 효과가 있었나 봅니다.

"그건 기억하네. 그럼 나당연합군하고 백제하고 어디에서 싸웠지?"

"기억이 잘……."

"아빠랑 같이 본 영화 있잖아. 백제군하고 신라군하고, 욕 배틀한 거 기억 안 나?"

"아, 그거! 엄청 웃겼어. 「황산벌」인가?"

"그래, 「황산벌」. 싸운 곳이 황산벌이야. 그때 백제 장군이 누구였더라?"

"음, 아, 기억이 잘……."

당혹스러웠습니다. 읽은 지 사흘밖에 안 되었는데 기억이 안 난다고? 책을 안 읽었더라도, 워낙 유명한 전투이고 계백도 유명한 사람이라 그 정도는 알고 있을 줄 알았습니다. 게다가 「한국을 빛낸 100명의 위인들」 1절에도 나오죠. '황산벌의 계백, 맞서 싸운 관창.'

"계백이잖아!"

"아하, 계백! 알지. 내가 왜 몰라!"

"한발 늦었어, 짜샤!"
이쯤에서 저는 아이가 의자왕을 알 거라는 기대를 확실히 접었습니다. 처음부터 차근차근 설명하는 수밖에 없었죠.
"의자왕은 백제의 마지막 왕이잖아. 백제가 멸망할 때 왕이었는데……. 정말 기억 안 나?"
"아빠, 신라가 삼국 통일하는 거 말이야, 전체 줄거리는 다 기억이 나는데 누가 그랬는지, 어디서 그랬는지는 잘 기억이 안 나."
아, 그렇구나! 어쩌면 그게 당연할지도 모릅니다. '황산벌의 계백', '삼천궁녀 의자왕'을 흥얼거릴 때 황산벌과 계백의 역사적 맥락을 이해하고 부른 것이 아니니, 지금까지 머릿속에 남아 있을 리가 없습니다. 그러니 이번에 한국사 책을 읽으면서 계백과 의자왕을 처음 마주한 것과 마찬가지인 셈이죠. 어른도 그렇지만 고유명사를 한 번 보고 바로 머리에 입력하기는 쉽지 않습니다. 역사 덕후라서 아주 자세한 내용까지 줄줄 외는 아이도 물론 있습니다만.
아무튼 애초의 실행 계획은 '의자왕'에서 멈추고 말았습니다. 의자왕이란 이름을 처음 알게 된 아이에게 '그 인물이 사실은 꼭 그런 것만은 아니고 이런 면도 있다'고 설명해 주는 건 무의미하다는 생각이 들었죠. 그러나 아이가 앞으로 역사 공부를 하면서 역사 인물들의 이름에 익숙해지면 그 인물들의 다양한 모습을 많이 보여주어 아이가 스스로 평가할 수 있게 이끌어 주어야겠다는 생각이 들었습니다.

앞에서도 한 번 이야기했듯이 아이가 태어나면 가장 먼저 보호자를 만나고 친구를 만나고 선생님을 만나고 사회에 나가면 훨씬 더 많은 사람을 만나게 될 텐데요, 저도 40년 넘게 살아봤지만 한 번 만난 사람이 '좋은 분' 또는 '나쁜 놈'으로 깔끔하게 정리되는 경우는 거의 없었습니다. 한마디로 '이런 사람이야!'라고 단정할 수 있는 사람은 거의 없죠. 그런데 만약 내 아이가 앞으로 만나는 사람들을 선악의 이분법으로 나누어 단정하고 거기에서 생각을 멈추어 버린다면 그건 정말 끔찍한 일입니다.

처음 만났을 때 인상이 좋다, 나쁘다 하는 감정이 드는 것은 어쩔 수 없습니다. 다만, 거기에서 멈추지 않고 그 사람에 대해 아이가 다양한 면을 살펴보고 판단할 수 있게 도와주는 과정이 필요합니다. 그런 점에서 역사 인물에 관한 대화가 유용하지 않나 싶습니다.

# 2
# 모든 일에는 저마다의 사정이 있다

아이 겨울 방학 때의 일입니다. 주말 오후였는데요, 가족이 함께 경복궁에 나들이를 갔습니다. 날도 쌀쌀하고 해서 가볍게 산책이나 하다가 저녁 먹으러 가야지 생각하고 있었는데, 아내가 불쑥 물었습니다.

"경복궁 주제로 어린이책 쓴다고 했던 것 같은데, 어떻게 됐어?"

"답사도 하고 자료도 많이 찾아 뒀는데, 흐지부지됐지. 벌써 4년 전이네."

"기왕 온 김에 가이드 좀 해 주시죠?"

"많이 까먹었는데……."

그렇게 살짝 빼는 척을 하고는, 경복궁의 정문 광화문부터 설명을 시작했습니다. 흥례문, 영제교를 지나 근정문을 통과, 근정전 뜰에 이르렀죠.

“여기가 근정전이야. 경복궁의 센터지. 가장 중요한 곳이야.”

근정전이 뭐하는 곳인지 간략히 정리하고, 마당에 대한 설명을 이어 나갔습니다. 바닥 돌이 왜 이렇게 울퉁불퉁하게 깔렸는지, 비석처럼 생긴 스물네 개의 품계석은 쓰임새가 무엇인지를 폼 나게 설명한 뒤, 아이가 가장 흥미 있어 하지 않을까 싶은 “바닥에 박혀 있는 이 큰 쇠고리 두 개는 왜 있는 걸까?”라는 질문을 던지려는데 아이가 묻습니다.

“아빠, 끝나려면 멀었어? 추워.”

“야, 벌써부터 그러면 어떻게 하냐? 지금부터가 진짜 시작인데.”

“시작? 헐!”

날씨도 춥고, 다 똑같아 보이는 궁궐 건물이 뭐가 재밌겠나 싶기도 해서 방침을 바꾸었습니다. ‘강의’를 대폭 축소하기로 말이죠. 속도를 내어 사정전, 강녕전을 지나 교태전에 이르렀고 그곳에서 더 나아가지 않고 회군하려 했습니다. 그런데 그때 한 무리의 중국인 관광객이 지나가며 한 사람이 이렇게 말하는 겁니다.

“자금성하고 별 차이 없네.”

우리나라가 조선시대일 때 중국은 차례로 명나라와 청나라였는데, 두 왕조의 황제가 살던 곳이 자금성이죠. 그 관광객의 말을 듣는 순간, ‘두 궁궐이 어떤 점에서 비슷하다고 한 걸까?' 하는 생각이 들었습니다.

광화문 인근의 한 식당에 자리를 잡고 주문을 한 뒤 아이에게 물었습니다.

"너, 자금성이라고 혹시 들어 봤어?"

"어? 그거 어디서 들어 본 것 같은데……. 전자레인지에 붙어 있는 스티커! 중국집!"

"헐! 너, 아빠가 준 만화로 된 조선왕조실록 책 2권까지 읽었지?"

아이가 어려워하지 않을까 걱정하면서도, 싫증 나면 읽다가 포기하겠지 하고 손에 쥐어준 『박시백의 조선왕조실록』입니다.

"응. 어제 왕자의 난 읽었는데. 그 사람 이름이 뭐였지? 아들 때문에 이성계가 울잖아."

"너는 나한테 그러면 못쓴다. 너도 네 아들한테 당할 수 있어. 이방원도 나중에 아들 때문에 눈물을 쏙 뺄 거거든. 그래서 제목이 「용의 눈물」인 드라마도 있었단다, 얘야."

"명심하겠습니다, 아버님!"

깐족대는 아들을 애써 무시하고 계속 말을 이었습니다.

"태조 이성계가 조선 건국하고 수도를 한양으로 옮긴 것도 기억나지? 경복궁 지은 얘기도 나오고."

"아는 거 나와서 반갑던데."

"그때가 중국은 명나라 때인데, 명나라의 수도가 지금의 베이징이거든. 거기에도 황제가 사는 궁궐이 있었어. 그게 자금성이야."

"음, 그래서?"

역시 괜히 말을 꺼냈다 싶은 생각이 들려는 찰나 좋은 생각이 떠올랐습니다.

'그때 쓰려던 경복궁 책, 다시 시도해 보자. 자금성과 비교하는 칼럼도 한 편 붙여서!'

경복궁과 자금성 비교는 사실 4년 전 경복궁에 관한 원고를 쓰며 이미 해 두었습니다. 원고를 준비하느라 이런저런 자료를 찾아 읽던 중에 하루는 인터넷 검색을 해 보았는데, 경복궁과 자금성을 비교해서 써 놓은 문장 하나가 눈에 띄었습니다.

"경복궁은 자금성의 뒷간 크기밖에 안 된다."

순간 깜짝 놀랐습니다. 실제로 그렇게 생각한 건 아닐 테고, 자금성이 훨씬 크다는 걸 강조하려고 그렇게 비유했겠지만, 이건 너무 심한 표현 아닌가 싶었죠. 그런데 다른 사이트에서도 '뒷간'이니 '화장실'이니 하는 표현이 심심찮게 보였습니다.

대학 시절 베이징에서 어학연수를 할 때 자금성에 가 본 적이 있습니다. 그때의 기억이 지금까지 남아 있는데요, 그 중에 가장 강렬한 것은 둘러보기가 너무 힘들었다는 것입니다. 초봄이라 춥고 바람까지 많이 불어

고생을 많이 했거든요. 당시에 찍은 사진을 보면 강풍 때문에 저와 일행의 머리가 엉망입니다. 그러나 힘들었던 게 날씨 때문만은 아닙니다. 자금성의 오문(남문)부터 신무문(북문)까지 꽤 오래 걸었던 기억이 납니다. 이 두 가지 기억이 합쳐져서 제 머릿속에도 자금성이 경복궁보다 훨씬 크다는 이미지가 새겨져 있었죠.

'그러고 보니, 면적 차이가 얼마나 나는지 여태 비교해 볼 생각도 안 했네?'

곧바로 경복궁과 자금성의 가로세로 길이를 조사하고 면적을 구해서 비교해 보았는데요, '와 이거 의왼데?' 싶은 결과가 나왔습니다.

다른 사람은 경복궁과 자금성의 크기에 대해 어떤 느낌을 가지고 있을지 궁금했습니다. 강연 때나 지인과 이야기를 나눌 때 문제를 내고 반응을 살펴보곤 했는데요, 여러분도 한번 맞춰 보시겠어요?

① 자금성의 면적이 경복궁의 10배 정도 된다.
② 3~4배 정도다.
③ 1.7배 정도다.
④ 의외로 별 차이가 없다.

다년간의 질문 경험에 따르면, 열 명 중에 절반 정도는 ②번을 선택합니다. 자금성이 경복궁보다 훨씬 크긴

해도, 상식적으로 10배는 너무 심한 것 같거든요. '경복궁은 자금성의 뒷간'론을 믿고 ①번을 고르는 사람과 이런 문제는 항상 의외성이 있다며 ④번을 고르는 사람이 각각 한두 명 정도. 그리고 수치가 디테일해서 정답일 것 같다며 ③번을 택하는 사람도 한두 명 정도. 여러분은 몇 번을 선택하셨나요?

정답은 ③번입니다. 이 정도 차이라면 자금성이 경복궁보다 '훨씬 크다'는 표현은 적절하지 않은 것 같습니다. 그냥 조금 더 크다 정도죠. 사실 저도 ②번의 3~4배 정도 차이라고 예상하고 있었기 때문에 계산을 해 보고 깜짝 놀랄 수밖에 없었습니다. 그럼 자금성이 경복궁보다 훨씬 크다는 선입견이 생긴 이유는 무엇일까요?

앞서 제가 자금성에 갔을 때 오문에서 신무문까지 걷느라 꽤 힘들었다고 했는데요, 사실 자금성의 남북 거리는 약 960미터, 경복궁은 700미터로 그리 큰 차이가 아닙니다. 문제는 정전正殿의 크기에 있지 않나 싶습니다. 경복궁은 근정전, 자금성은 태화전·중화전·보화전이 정전에 속하죠. 두 정전 모두 사방으로 넓은 마당이 펼쳐져 있는데요, 자금성이 경복궁의 5배 정도는 되는 것 같습니다. 정전 건물과 거대한 마당이 어우러져 훨씬 웅장하고 장대한 느낌을 주죠. 이곳에서 받은 인상이 워낙 강렬하다 보니, 두 고궁의 전체 규모 차이를 실제보다 크게 느끼는 것이 아닐까 싶어요.

그러나 이러한 인식의 오류가 단지 인상 때문만은 아닌 것 같습니다. 중국은 면적이 한반도의 40배가 넘고, 인구는 대한민국의 약 30배에 이르는 거대한 나라입니다. 자금성은 그런 나라의 군주가 머물던 궁궐이고요. 게다가 자금성에 살았던 명나라와 청나라 군주는 조선의 군주보다 한 단계 위의 칭호를 쓰는 황제였습니다. 그러니 저절로 이런 생각이 들지 않을까요?

'자금성은 중국 황제가 살던 곳이야. 왕이 살던 경복궁보다는 당연히 훨씬 크겠지?'

이러한 인식은 여기에 머물지 않고 한 단계 더 나아갑니다.

'경복궁은 자금성을 본떠 만들었을 거야.'

실제로 둘을 비교해 보면 크기는 약간 차이가 있지만, 구조는 대체로 비슷합니다. 동서남북으로 큰 문이 나 있고요, 남쪽 문에서 북쪽 문까지 상상의 선을 그어 그것을 중축(물건의 한가운데를 가로지르는 축) 선이라고 할 때, 이 선을 따라 정전이 나오고 군주가 일하고 생활하고 잠을 자는 건물이 일직선으로 쭉 이어지죠. 혹시 자금성과 경복궁 둘 다 관람한 분이 있다면 기억하시겠지만, 관람 코스가 중축 선을 따라 남쪽에서 북쪽으로 향하는 것이 그런 이유 때문입니다. 예전의 그 중국인 관광객이 "자금성하고 별 차이 없네"라고 말한 것도 이 때문일 겁니다.

정말 이렇게 보면 경복궁이 자금성을 본떠 만들었을 것 같다는 생각이 듭니다. 게다가 조선은 건국 초기부터 명나라와 사대관계를 맺었으니, 당연히 그러지 않았을까요? 혹시나 해서 명나라와 조선의 건국 연대를 찾아봅니다. 명나라는 1368년, 조선은 1392년……, 그러니까 맞겠네! 그러나 혹시 모르니까 자금성이 정확히 언제 어떻게 만들어졌는지 당시의 중국사를 살펴 봤습니다.

명나라는 1368년에 주원장이 건국했습니다. '홍무제'라고 부르는데요, 그가 도읍한 곳은 북경(베이징)이 아니라 남경(난징)이었습니다. 우리의 예상과는 다르죠? 홍무제는 여러 아들 중에서 맏아들을 황태자로 임명했는데 그 황태자가 요절을 하자 황태자의 아들, 즉 자신의 손자를 '황태손'으로 삼습니다. 홍무제가 죽자 그 황태손이 황제에 즉위했는데요, 그가 '건문제'입니다.

당시 북경은 북방 몽골족에 맞서는 최전방 지역이었는데요, 여기를 '주체'朱棣라는 사람이 지키고 있었습니다. 홍무제의 넷째아들이면서 건문제의 삼촌입니다. 주체는 막강한 군사력으로 남경을 공격해 건문제와 한판 붙었고, 결국 조카를 끌어내리고 명나라의 3대 황제가 됩니다. 그가 바로 '영락제'죠. 영락제 입장에서는 자신이 오랫동안 쌓아 둔 기반이 북경에 있었으므로 수도를 북경으로 옮기고 새로운 황궁을 짓는데, 그게 바로 자금성입니다. 자금성은 1406년에 착공해서 1420년에 완공되었습니다. 1395년에 완공한 경복궁보다 오히려 25년이 늦은 셈이죠. 그러니, '경복궁은 자금성을 본떠 만들었을 것'이라는 추측은 틀린 셈입니다.

경복궁은 2천여 년 전에 나온 중국의 『주례』周禮라는 책의 「고공기」考工記 편을 참고해서 만든 것입니다. 그러니 중국의 영향을 받은 것을 부인할 수는 없지만, 자금성과는 직접적인 영향 관계가 없습니다. 다만 자금성도 그 책을 참조했기 때문에 구조적으로 비슷해 보일 뿐입니다. 경복궁은 경복궁이고, 자금성은 자금성입니다. 같은 책을 참고했기에 유사한 면은 분명 있지만, 어쨌든 각자의 사정에 맞게 만들었죠. 자금성이 경복궁에 비해 면적이 1.7배가량 크고, 자금성과 비교할 때 경복궁 모양이 약간 울퉁불퉁한 직사각형인 것은 궁궐 자리의 지형이 달랐기 때문입니다.

'한쪽은 영향을 주었고 한쪽은 영향을 받았을 거야, 그러니 비슷할 거야'라는 인식은 고정관념일 뿐 아니라 사고의 흐름을 멈추게 합니다. 영향을 주었는지 아닌지는, '다를 수도 있어'라는 열린 생각을 가지고 차이를 충분히 파악하고 나면 저절로 알 수 있을 것입니다.

한국과 중국은 2천 년 넘게 이웃으로 살아왔습니다. 서로 준 것도 많고 받은 것도 많았죠. 그러다 보니 좀 비슷하다 싶으면, 관련이 있을 거라고 오해하기가 쉽습니다. 앞에서 살펴본 경복궁과 자금성도 그렇고요. 역사적으로 중요한 사건 가운데도 그런 사례가 있습니다. 한 사건을 예로 들어 보겠습니다.

2019년은 3·1운동 100주년이 된 해입니다. 여러 매체에서 3·1운동을 재조명했고 관련한 책도 어느 해보다 많이 출간되었습니다. 제가 아는 한 출판사 편집자도 3월 1일에 맞추어 마감을 하느라 몇 달을 분투했다고 하는데요, 하지만 이 모든 것이 저와는 별 상관이 없었습니다. 제가 역사 분야의 책을 써 오긴 했지만, 3·1운동에 대한 책을 쓸 만큼 한국 근현대사에 조예가 깊은 것은 아니었으니까요. 그런데 한 도서관에서 강연 요청을 해왔습니다. 3·1운동 100주년을 맞이해서 이웃 나라의 민족 운동도 다루겠다며 중국 5·4운동 강연을 제안해 온 것입니다. 사실 도서관 측이 '3·1운동 100주년' 행사를 준비하며 중국 5·4운동도 100주년이라는 사실을 떠올린 것이 무척 놀라웠습니다. 게다가 그 주제로 강연까지 기획하다니! 여러분은 5·4운동에 대해 아시나요? 금시초문이다, 하는 분도 계시겠지만 적어도 한 번쯤 들어 보셨을 것도 같은 사건입니다. 한국사 교과서에 한두 문장 정도는 언급되었기 때문입니다.

3·1운동은 아시아 각국의 민족 운동에도 적지 않은 영향

을 끼쳤다. 특히 중국과 인도에서는 3·1운동의 영향으로 대규모의 민족 운동이 전개되었다.

여기에서 말하는 중국의 대규모 민족 운동이 바로 5·4운동입니다. 5·4운동이 어떤 운동인지는 잘 몰라도 3·1운동의 영향을 받았고 3·1운동과 유사한 민족 운동의 성격을 띠었다고 배운 건 어렴풋이 기억이 나실 겁니다. 그런데 잠깐 스치고 지나갔던 중국의 사건이 아직 뇌리에 남아 있는 건 왜일까요? 5·4운동이 우리에게는 무척 낯선 사건이지만, 1919년의 3·1운동과 인과관계로 묶이면서 쉽게 외워진 것 아닐까요? 여기에 우리나라의 운동이 다른 나라의 운동에 영향을 주었다는 뿌듯함까지 더해져서 말이죠. 그런데 위의 한국사 교과서 문장에서 제가 주목하고 싶은 단어가 하나 있습니다. 한 번도 아니고 두 번이나 등장하는데요, 바로 '영향'이라는 단어입니다.

'영향' 하니까 생각나는 일이 하나 있습니다. 한동네에 사는 대학 후배와 문자메시지를 주고받다가 갑자기 생각이 나서 이런 말을 했습니다.

"우리 애가 태권도 참 재미있어 하던데. 운동도 되고. 네 아이도 한번 시켜 보지 그래."

그로부터 한 달쯤 지났을까요? 동네를 걷고 있는데 그 후배의 아이가 눈에 들어왔습니다. 오랜만에 보는 터라 반갑게 인사를 했는데, 반가운 이유가 하나 더 있었습니다. 아이가 태권도복을 입고 있었거든요! 제 조언대로 한 것 같아 반갑기도 하고 내심 뿌듯하기도 했습니다. 후배에게 '영향'을 주었으니까요. 얼마 뒤 그 후배와 술자리를 가졌습니다. 이런저런 이야기를 나누다 보니, 대화의 주제가 늘 그렇듯이 아이 교육 문제로 이어졌죠.

"얼마 전에 봤어. 네 아이 태권도장 다니는 것 같더라."

"아, 예. 한 달 정도 된 것 같네요. 아이가 재미있어 해요."

그 말을 듣고 다시 한번 뿌듯함을 만끽하면서 "형 덕분이에요"라는 인사를 기다리는데, 후배가 말을 이어 나갔습니다.

"저도 어렸을 때 태권도 했거든요. 그래서 아이한테도 한번 시켜볼까 했는데 망설여지더라고요. 축구를 일주일에 세 번이나 하니까 아이 스케줄 맞추기도 어렵고, 체력적으로도 너무 힘들어할까 걱정도 되고, 비용도 만만치 않고요. 그런데 갑자기 싫증이 났다며 두 달 전쯤에 축구를 그만뒀어요. 그러고는 한동안 잊고 있었는데, 형이 얘기를 해 줘서 '아, 맞다! 태권도!' 하고 등록을 했죠."

그 말을 듣는 순간 뿌듯함이 사라졌습니다. 내 조언

이 영향을 준 건 아니었구나. 하지만 다른 뿌듯함이 있었습니다. 그 후배의 어린 시절 경험부터 여러 가지 현재 상황을 이해할 수 있었으니까요. 이 사람이 갑자기 왜 뜬금없이 태권도 타령이냐 하셨겠지만, 이제는 그 의도를 짐작하셨으리라 생각합니다. '3·1운동이 중국 5·4운동에 영향을 주었다'는 대목에 대해 연구자마다 의견이 분분할 겁니다. 영향을 강조하는 연구자도 있을 것이고, 그 영향이 극히 미미했다고 보는 연구자도 있겠죠. 그러나 저는 여기에서 영향의 정도를 따져보려는 것이 아닙니다. 제가 강조하고 싶은 것은 '영향'이라는 말 한마디가 5·4운동에 대해 더는 알 필요를 느끼지 못하게 만든다는 것입니다. "영향을 주었어?"에서 "아, 우리와 비슷하구나"로 나아가고, 그럼 더는 궁금하지 않게 되는 것이죠.

최근의 역사 교과서 내용도 크게 다르지 않습니다. 5·4운동이 3·1운동의 영향을 받았다는 식으로 서술되어 있습니다. 위의 문장도 최근의 한국사 교과서에서 인용한 것입니다. 아이가 앞으로 이 대목을 공부하게 될 텐데, 그때 가서 이렇게 말해 주면 어떨까 싶습니다.

"영향을 주었구나. 그래도 다른 점이 있지 않을까? 그들은 또 그들만의 사정이 있었을 텐데……."

아이가 아빠의 말을 듣고, 다른 책을 찾아보거나 인터넷 검색을 하는 것까지 기대하는 것은 무리일 수 있습니다. 앞서도 말씀드렸지만 계백과 의자왕, 삼국 통일 전쟁도 그렇고, 3·1운동에 대해서도 이제 막 처음 들어본 아이가 대부분입니다. 그런 상황에서 중국에서 일어난 5·4운동이라는 새로운 사건을 마주하게 하는 것은 바람직하지 않은 것 같습니다. '다른 나라 사건이니까 우리랑은 많이 다를 거야' 정도만 생각하게 해 주어도 충분합니다. 그러면 주변 지식이 쌓였을 때 그다음 단계로 나아갈 수 있겠죠. 만약 아이가 지금 당장 알고 싶다고 의욕을 보인다면 5·4운동의 배경으로 꼭 알아야 할 중국 근현대사를 설명해 주거나 어린이책을 사주는 정도면 충분하지 않을까 싶습니다.

아이들이 역사를 어려워하는 가장 큰 이유는 외워야 할 사건이 너무나도 많기 때문입니다. "역사는 이해의 학문이야!"라고 고상한 척 말할 수는 있지만, 그래도 기본적으로 외울 것은 외워야 하는데, 기본 암기 사항이 너무나 많죠. 그래서 사건들을 비슷한 유형끼리 묶거나 그 성격을 최대한 단순화하고 인과관계로 꼬리에 꼬리를 물게 하면 암기가 조금은 덜 고통스럽죠. 저도 예전에 그런 식으로 공부했던 것 같습니다.

그러나 이렇게 공부하고 끝내면 시험 성적 향상에는 도움이 될지 몰라도, 역사는 비슷해 보이는 사건도 다르게 해석될 여지가 있다는 점을 놓칠 수 있습니다. 아이가 나중에 커서 사회에 나가 마주할 일은 그리 단순하지 않습니다. 비슷한 유형끼리 묶거나 인과관계로 엮어도 잘 해결되지 않는 경우가 태반이죠. 우리도 그런 일을 항상 겪으면서 살고 있잖아요? 그러니 어떤 일에 대해서든 아이가 한 걸음 더 깊이 들어가 생각의 근육을 키울 수 있도록 도와주는 것이 필요한데요, 그런 점에서 역사 공부가 유용하지 않을까 생각합니다.

## 3
## 차이의 이해에서 차이와의 공존으로

제가 쓰는 책은 대부분 역사 분야의 어린이책입니다. 그런데 그동안 쓴 책 중에는 한국사보다는 세계사 분야를 다룬 것이 더 많습니다. 그중에서도 특히 중국, 일본 등 동아시아의 역사를 다룬 것이 많죠. 사실 중국이나 일본에 대한 우리나라 사람들의 인식은 대체로 부정적인 편입니다.

'중국은 나쁘다, 일본은 더 나쁘다.'

지인들과 대화를 나누다 보면 중국이나 일본을 비판하는 사람이 많습니다. 사실 '비판'은 점잖은 표현이고, 솔직히 말하면 대부분이 욕이죠. 인터넷에서 중국, 일본 관련 기사의 댓글을 보면 온갖 욕설과 비방이 난무합니다. 제대로 알고 '비판'을 하는 글보다는 단지 싫어서 '욕'을 하는 경우가 더 많은 것 같습니다.

비단 어른들만 그러는 게 아닙니다. 더 큰 문제는 아이들도 어른의 영향을 받아 이런 생각을 자연스레 공유한다는 것이죠. 중국과 일본은 가까운 나라라 나중에 어른이 되었을 때 비즈니스로 직접 마주해야 할 확률이 높고, 특히 전 세계적으로 영향력을 넓히고 있는 중국은 우리 삶에 주요 변수로 작용할 텐데, 무턱대고 부정하거나 비하하는 정서가 만연하니 참 걱정입니다. 제가 중국과 일본의 과거와 현재를 소개하는 책을 쓰는 것도 그런 이유입니다. 이런 메시지를 아이들에게 전해 주고 싶거든요.

'중국과 일본은 우리나라와는 다른 나라야. 우리나라의 기준과 안 맞으니 나쁘다, 이렇게 단정하지 말고 일단 이 나라들이 우리나라와 어떻게 다른지 한번 이해해 보자.'

'그동안은 우리나라가 중국이나 일본과 싸운 역사만 많이 배운 것 같아. 사실 사이좋은 이웃으로 지낸 시간이 더 길었는데…….'

이렇게 말하면, 중국과 일본을 옹호하자는 말로 들릴지 모르겠습니다만, 제가 말씀드리고 싶은 것은 옹호가 아니라 이해입니다. 아이들이 제대로 된 이해를 바탕으로 두 나라를 바라볼 수 있도록 해 주자는 것입니다.

지금부터 2천여 년 전에 한 역사가가 있었습니다. 여

러분도 한 번쯤은 이름을 들어 보셨을 사마천이라는 사람입니다. 한국사를 보면 구석기시대, 신석기시대를 거쳐 청동기시대와 고조선 이야기가 나옵니다. 그 고조선을 멸망시킨 나라가 바로 중국 한나라죠. 한나라는 고조선을 멸망시키고 한사군을 설치했습니다. 그 사건을 우리가 알게 된 것은 사마천이 자신의 책 『사기』에 「조선열전」을 쓴 덕분입니다. 『사기』에는 고조선 말고도 여러 주변 나라의 이야기가 나오는데요, 「흉노열전」도 그중 하나입니다. 저는 그 첫 부분의 주요 내용을 제 아이에게 보여 주며 한번 읽어 보라고 했습니다.

> 흉노는 북방 오랑캐의 땅에 거주하면서 가축을 방목하며 생활했다. 물과 풀을 찾아 이동하고 성곽과 주거지는 없으며 농사도 짓지 않았다. 찰나적이고 순간순간의 이익을 추구하며 예의를 모른다. 맛있는 음식은 젊은이가 먹고 늙은이는 먹다 남긴 것을 먹으며 건장한 자가 존중을 받고 노약자는 홀대를 당했다. 아비가 죽으면 아들이 그 계모를 취하고 형제가 죽어도 마찬가지로 그 부인들을 자기 처로 삼았다.

"와, 어떻게 이럴 수 있지? 야만스럽게……."

"그렇지? 노인하고 노약자한테 좀 심하지? 그리고 아무리 계모라도 말이야, 어떻게 아들이랑 결혼을 하지?

동생이 형 부인이랑 결혼하는 것도 말이 안 되고……."

이 글을 보면, 저자 사마천이 흉노의 문화에 대해 비판적인 뉘앙스로 서술하고 있다는 걸 느낄 수 있습니다. 한국 사람인 우리도 자연스럽게 사마천과 같은 시각으로 보게 되죠. 그게 너무나 당연하게 느껴집니다. 그런데 저는 여기에서 다소 엉뚱하지만 이런 질문을 던져 보고 싶어요. 한나라나 흉노나 둘 다 우리에게는 '다른 나라'인데, 어째서 자연스럽게 한쪽 편으로 기우는 걸까요? 구체적으로 말해, 우리는 왜 한나라와 동일한 시각에서 흉노를 비판하는 걸까요?

우리나라는 역사적으로 유목 민족인 흉노보다는 농경 민족인 한나라와 비슷한 사회경제 시스템에서 살아왔고, 중국의 유교문화를 바탕에 두고 살았기 때문입니다. 그렇게 형성된 DNA가 후대에까지 깊이 각인되어 있는 거죠. 이런 점에서 보면, 사마천은 '다르다'는 생각 관념이 부족한 역사가가 아닐까요?

그런데 사마천은 같은 「흉노열전」의 뒷부분에서 결이 다른 이야기를 덧붙여 놓았습니다. 이 대목도 문장을 쉽게 풀어 주고서 아이에게 읽어 보게 했습니다.

> 한나라에 중항열이라는 궁중 환관이 있었다. 흉노에 공주를 시집보낼 때, 한나라 황제가 공주를 돌볼 사람으로 중항열도 함께 보냈다. 그는 흉노에 가서 잘 적응했고,

자연스럽게 흉노 군주의 신하가 되었다.

그러던 어느 날, 흉노의 조정에 한나라 사신이 찾아왔다. 중항열은 흉노의 대표 자격으로 한나라 사신을 맞이했다. 한나라 사신이 유교의 논리로 중항열을 쏘아붙였다.

"흉노는 노인을 함부로 대한다지요?"

"흉노는 전쟁이 잦은 나라요. 늙고 약한 사람은 싸울 수 없소. 그래서 영양 많고 맛있는 음식을 건장한 사람에게 먹이는 것이오. 이렇게 해야 나라를 보전할 수 있고, 아버지와 아들 모두 살아남을 수 있기 때문이오. 이것을 두고 어찌 노인을 천대한다고 하시오?"

한나라 사신이 잠깐 뜸을 들이더니 이렇게 말했다.

"흉노는 아버지가 죽으면 아들이 그 계모를 아내로 삼고, 형제가 죽으면 남은 형제가 남편을 잃은 형수나 제수를 자기 아내로 삼는다면서요? 금수와 다를 바 없군요."

"아버지, 아들, 형, 동생이 죽으면 그들의 아내를 맞아들여 자기 아내로 삼는데, 그것은 대가 끊길까 염려하기 때문이오. 그래서 흉노는 어지러워져도 한 핏줄의 종족을 세울 수 있는 것이오."

사마천은 「흉노열전」 첫 부분에서 흉노의 문화에 대해 비판적인 시각을 드러내는데요, 써 놓고 나서 내내 마음에 걸렸던 걸까요? 중항열의 이야기를 통해 흉노의 문화가 '틀린' 것이 아니라 '다른' 것이라는 메시지를 전해 줍니다. 사마천을 위대한 역사가라고들 말하는데, 저는 그의 위대성을 특히 이 지점에서 느낍니다. 아이가 다 읽고 나서는 고개를 끄덕끄덕합니다.

"읽어 보니까 어때?"

"딱 알겠네, 아빠의 의도를. '차이를 존중해라!' 그 거지?"

'차이의 존중'이라는 측면에서 보자면 중항열 또한 사마천 못지않게 멋진 사람입니다. 그는 한나라에서 태어나 성장했고 한나라 조정을 위해 일했던 사람입니다. 중국의 전통 관념이 뼛속까지 박혀 있을 사람인데도 흉노에 간 이후에는 유목 민족의 문화를 배척하기는커녕 오히려 그들의 문화를 이해하려고 노력했으니 말입니다. 그러나 실제 역사를 보면, 중항열보다는 한나라 사신과 같은 사람이 훨씬 많았습니다. "우리와 다른 것은 다른 것이 아니라 틀린 거야!"라며 나와 다른 것을 부정하거나 배척했고, 자신들의 잣대를 들이대어 남을 바꾸려고 했지요.

아이에게 그림 한 컷을 보여 주었습니다.

"짠~! 이 그림 한번 봐! 무슨 장면 같아?"

"제가 어찌 알겠습니까, 아버님?"

"가운데에 창 들고 있는 사람 있잖아. 딱 봐도 이 사람이 주인공이지? 그런데 배도 보이고 물도 보여. 배 타

콜럼버스와 아메리카 원주민의 만남

고 육지에 막 도착한 것 같은데, 육지에 있는 사람들은 옷을 훌러덩!"

"아, 알 것 같은데. 이 사람, 그 사람이잖아 ……."

"콜럼버스!"

"아, 내가 말하려고 했는데, 콜럼버스!"

이 그림은 콜럼버스가 스페인에서 출발해 두 달 넘게 항해해서 도착한 아메리카 대륙의 한 섬에서 이곳 원주민과 만나는 장면을 그린 겁니다. 전혀 본 적 없는 두 세계의 사람들이 처음 만난 거죠.

콜럼버스는 원주민의 첫인상에 대해 이렇게 기록하고 있습니다.

> 잠시 후 섬사람들이 몰려들었다. 그들은 우리를 열정적으로 환영했다. 그들은 이마가 넓고 머리가 크며, 눈이 매우 크고 아름다웠다.

콜럼버스 일행을 맞이한 원주민은 다양한 행동을 취합니다. 저 뒤편으로 놀라서 도망을 치는 사람들도 보이지만, 콜럼버스 일행에게 다가가 소소한 물건을 전하는 이도 있습니다. 콜럼버스의 말대로 그들이 환영한 것은 분명해 보이는데요, 일설에 따르면 원주민들이 자신들이 믿는 신이 찾아왔다고 생각했기 때문이라고 합니다.

반면 콜럼버스 일행은 처음 보는 원주민들 앞에서 위풍당당한 모습입니다. 조심스러워하며 예의를 갖추기는커녕 창과 칼을 앞세워 위협을 하는 것 같습니다. 심지어는 낯선 땅에 도착하자마자 자기네 종교의 상징물인 십자가를 세우기도 하죠. 원주민은 저게 뭔가 하고 어리둥절했을 거예요. 어쨌든 처음에는 원주민이 환대한 덕분에 양측이 우호적으로 잘 지냅니다. 그러나 시간이 지나면서 서서히 균열이 일어나죠. 콜럼버스 일행은 그곳에 휴가를 보내러 온 게 아니었습니다. 향신료와 황금 등을 배에 가득 싣고 오겠다고 설득해 스페인 국왕으로부터 막대한 금액의 투자를 받아 온 것이죠. 그러니 투자받은 것에 이자까지 얹어서 돌려주어야 합니다. 자기 주머니도 채워야 하고요. 콜럼버스는 그들과 함께 지내면서 양측 간 힘의 우열을 깨닫게 됩니다.

> 그들은 무기를 지니고 있지 않았다. 더욱 놀라운 것은 그것이 무엇인지도 모른다는 사실이다. 내가 그들에게 칼을 보여 주었을 때, 무심코 칼날 쪽을 잡았다가 손을 베기도 했다. 철기도 전혀 없었다. 그들의 투창은 쇠로 된 머리 부분이 없는 그냥 막대기에 불과했다.

이러한 사실을 알게 된 순간 평화는 더 지속될 수 없었습니다. 철로 만든 칼과 총을 가진 콜럼버스 일행과 나무로 만든 무기밖에 없는 원주민의 싸움. 결과는 불 보듯 뻔했습니다. 이후 코르테스, 피가로 등 유럽 침략자의 발길이 끊이지 않았고, 아메리카는 유럽의 식민지로 전락합니다.

어렸을 때 우리는 '콜럼버스가 아메리카 대륙을 발견했다'라고 배웠습니다. 너무나 자명해 보이는 이 문장에 사실은 부적절한 어휘가 하나 있습니다. 바로 '발견'입니다. 발견의 사전적 정의는 "미처 찾아내지 못했거나 아직 알려지지 않은 무언가를 찾아낸다"입니다. 유럽인은 이전까지 몰랐던 땅을 찾아냈으니 '발견'이라고 표현한 것이고, 우리도 그대로 받아들였던 것입니다. 그러나 아메리카 대륙에는 이미 사람이 살고 있었습니다. 더구나 마야 문명, 아스텍 문명, 잉카 문명 등 유럽 못지않은 문명을 꽃피우고 있었죠. 따라서 '이미 알려진 무언가'를 맞닥뜨리고 '발견'이라고 표현하는 것은 어불성설입니다. 그냥 아메리카 대륙에 '도착'했다고 하는 것이 적절한 표현일 것입니다.

그동안 세계사는 유럽과 아메리카 등 서구 중심으로 쓰였습니다. 지난 몇백 년 동안 서구가 세계를 지배했으니 역사 서술도 그럴 수밖에요. 우리나라도 그것을 보편적인 것으로 받아들였고, 그들이 쓴 역사를 당연한 것으로 여겨 왔습니다. 그래서 콜럼버스는 우리 편이고, 우리 편이 위대한 탐험으로 아메리카 대륙을 발견했으며, 야만인을 정복했다는 식으로 우리 머릿속에 각인된 것이죠.

그림 한 컷을 더 보여 드리겠습니다. 사람들이 방 하나에 바글바글합니다. 그런데 자세히 보면 크게 두 그룹으로 나뉘어 마주 보고 있다는 걸 알 수 있죠. 왼쪽은 동양인, 오른쪽은 서양인입니다. 무언가 대화를 나누는 것 같은데요, 잘 풀리고 있는 것 같지는 않습니다. 왼쪽

건륭제와 조지 매카트니의 만남

에 등을 반쯤 돌리고 담배를 피우며 거드름을 부리는 사람을 보니 그런 느낌이 들지 않나요?

이 사람은 중국 청나라의 황제 '건륭제'입니다. 청나라는 명나라를 정복한 뒤 영토를 계속 확장했고, 건륭제의 치세에 명나라 때의 3배만 한 영토를 차지해 현재 중국 영토의 골격을 만들었습니다. 인구도 팍팍 늘어서 이때쯤 이미 거의 3억에 이르렀죠. 당시 중국은 세계 최고의 강대국이었습니다. 그럼 건륭제와 상대하는 이 사람은 누구일까요? 그림 오른쪽 위의 국기를 보니 영국에서 온 것 같네요. 한쪽 무릎을 꿇고 있는 이 사람은 조지 매카트니라는 영국 외교관입니다. 그러니까 이 그림은 청나라 황제와 영국 사절 매카트니가 황제의 여름 별장 열하에서 만나는 장면을 그린 것입니다.

그렇다면 매카트니가 저 멀리 영국에서 청나라까지 찾아온 이유가 무엇일까요?

콜럼버스가 아메리카 대륙으로 가는 항로를 발견한 이후, 바스쿠 다 가마라는 항해가는 그와 정반대로 아프리카 대륙을 시계 반대 방향으로 돌아 아시아로 가는 항로를 발견했습니다. 이렇게 해서 전 지구가 항로로 연결되면서 유럽 상인이 아시아로 많이 왔고 그 종착지가 중국이었습니다. 유럽인은 중국의 비단, 도자기, 차를 좋아했습니다. 그런데 문제는 청나라와 교역을 하는 것이 여러모로 복잡하고 까다로웠다는 것입니다.

영국 정부는 이런 문제를 해결하기 위해 조지 매카트니를 파견했습니다. 그런데 건륭제와 매카트니가 대면하기 전에 문제가 하나 생깁니다. 청나라 조정이 외국 사절인 매카트니에게 황제 앞에서 삼궤구고두三跪九叩頭를 하라고 요구한 것입니다. 삼궤구고두는 꿇어앉아 머리가 땅에 닿을 때까지 세 번 조아리는 것을 세 번 반복하는 황제에 대한 경례법으로, 병자호란 때 조선 임금 인조가 삼전도에서 청나라 태종에게 행한 바가 있습니다. 매카트니는 그럴 수 없다며 버텼죠. 자신은 동등한 주권국가의 사신이니 그 예에 따라서 한쪽 무릎만 꿇겠다고 했습니다. 그 결과는 어땠을까요?

두 사람이 만나는 장면을 그린 이 그림으로는 매카트니가 청나라의 강요에 못 이겨 결국 삼궤구고두를 했는지, 아니면 하지 않고 황제를 만났는지, 우리로서는 알 수가 없습니다. 청나라 쪽은 했다고 하고 매카트니는 안 했다고 하는데, 어느 쪽 주장이 맞는지는 남아 있는 자료가 없어서 입증할 방법이 없거든요.

아무튼 1793년에 두 사람의 만남이 성사되었고, 매카트니는 건륭제에게 선물을 내밉니다. 매카트니는 청나라에 갈 때 영국의 선진 문명을 보여 주기 위해 마차 40대 분량의 귀한 선물을 가져갔다고 하는데요, 그가 가져간 선물이 그림에 보입니다. 조지 3세의 마차 미니어처와 군함과 열기구 모형, 여기에 배드민턴 라켓과 희귀 동물도 보입니다. 한마디로 이런 메시지죠. "우리와 무역을 많이 하면 이렇게 멋진 물건을 얼마든지 더 줄 수 있다!" 그러고 나서 조지 3세의 편지를 내미는데, 이런 내용이었습니다.

> 교역항구를 더 열어 달라. 상인의 거주 및 물품 보관을 위한 장소를 제공해 달라. 영국 사절이 북경에 늘 머물 수 있게 해 달라. 기독교 선교사가 중국 내륙을 여행할 수 있게 해 달라.

여기에 대한 건륭제의 답변은 다음과 같습니다.

> 광주廣州 하나만으로도 감사하라. 거주지와 물품 보관 장소를 허용할 수 없다. 영국 사절의 북경 거주는 생각조차 할 수 없다. 우리는 조상이 물려준 종교가 따로 있으니, 기독교는 필요 없다.

그러고는 다음과 같이 쐐기를 박습니다.

> 우리 천조는 그 넓은 경계 내에 모든 물자를 풍성하게 소유하고 있으며 그 경계 내에서 생산되지 않는 물건이란 없다.

결국 매카트니는 소기의 성과를 단 하나도 거두지 못하고 귀국해야 했습니다. 그나마 청나라의 사정을 직접 보고 느낀 것만큼은 영국의 입장에서는 값진 성과였죠. 매카트니는 자신이 쓴 보고서를 통해 청나라를 배에 비유하여 이렇게 예언합니다.

> 이 배는 당장은 가라앉지 않을 것이다. 한동안은 난파된 채 표류하겠지만, 얼마 못 가서 산산조각이 나 해안으로 떠밀려올 것이다. 하지만 수리는 불가능할 것이다.

이후 영국은 중국과의 무역적자를 해소하기 위해 인도에서 생산된 아편을 중국에 판매합니다. 그로 인해 중국은 무역적자에 허덕이게 되었고, 자국민의 아편중독으로 심각한 사회문제를 겪습니다. 그러자 청나라 조정에서 영국 상인의 아편을 폐기했는데, 이에 반발한 영국이 1840년 청나라를 상대로 전쟁을 일으켜 승리를 거둡니다. 매카트니 사절단이 다녀가고 50년 가까이 지난 뒤의 일입니다. 건륭제와 매카트니의 만남을 묘사한 그림은 건륭제가 우물 안 개구리처럼 당시의 세계사가 나아가는 흐름을 이해하지 못하는 바람에 중국이 서양 열강의 침입을 받고 몰락했다는 교훈을 주기 위해 종종 사용됩니다.

콜럼버스와 아메리카 원주민의 만남 그리고 매카트니와 건륭제의 만남, 이 두 컷의 그림을 보여 주면서 아이에게 어떤 말을 해 주어야 할까요?

"봤지? 상대를 잘 알아야 이길 수 있는 거야!"

지피지기면 백전불태의 논리를 가르쳐야 할까요?

"봤지? 힘이 약하면 저렇게 되는 거야! 힘을 길러야 해!"

세상은 약육강식의 논리로 돌아간다는 걸 깨우쳐 주어야 할까요?

물론 저는 그렇게 생각하지 않습니다. 나와 상대의 차이를 이해하는 것이 중요하지만, 그 이해라는 것이

내가 상대를 짓밟기 위한 이해여서는 안 됩니다. 아이에게 차이에 대한 이해의 단계에서 공존의 단계로 한 걸음 더 나아가야 한다는 교훈을 주어야 하지 않을까요?

두 그림을 보면서, 앞서 사마천이 서술한 한나라 사신과 중항열의 이야기를 한 번 더 떠올려 보면 좋겠습니다.

# 4
# 그때 그 사람들과 대화하기

『우리 유물 이야기』(웃는돌고래, 2019)라는 책을 낸 적이 있습니다. 우리나라의 역사 유물 30종을 골라 어린이 독자들과 함께 살펴보면서 과거의 모습을 떠올려보고 옛 조상과 대화도 나누어 보는 콘셉트의 책입니다. 10년 가까이 박물관을 들락날락하며 했던 생각이 책으로 엮여 나온 것도 무척 기뻤지만, 다른 측면에서도 각별한 의미가 있었습니다. 제 아이가 처음으로 '개입'한 책이거든요. 앞에서 잠시 말씀드렸지만, 작가로서 저의 가장 큰 고민은 '어린이를 모르는 어린이책 작가'라는 콤플렉스를 어떻게 극복하느냐 하는 것이었습니다. 여러 방법으로 노력을 했지만 성에 차지는 않았죠. 하지만 이런 와중에 믿는 구석이 하나 있었으니, 바로 제 아이입니다. 언젠가는 아이가 내 글의 독자층만큼 나이를 먹을 것이다! 그때가 되면 좀 더 깊은 대화를 많이 나눌 수 있을 것이고, 나의 글은 예전보다 더 생생해지리라 생각했지요.

아이가 초등학생이 되었을 무렵, 저는 개인사정으로 작가의 일을 잠시 접고 책 편집 일에 매달렸습니다. 그렇게 2~3년을 보낸 뒤에 쓴 첫 번째 원고가 『우리 유물 이야기』입니다. 그런데 원고의 콘셉트를 정하고 가목차를 짜던 중 별안간 깨달았습니다.

'아! 애가 벌써 4학년이구나!'

드디어 아이를 '써먹을' 때가 된 거죠. 물론 제 아이가 그 또래의 대한민국 어린이 전체를 대표하는 것도 아니고, 평균에 해당하는지도 장담할 수는 없습니다. 그래도 없는 것보단 훨씬 낫죠! 어떻게든 도움이 될 거라 생각했습니다. 더욱이 우리 아이에게는 확실한 장점이 하나 있습니다. 머릿속에 떠오르는 걸 입 밖으로 꺼내지 못하면 견디지 못하는 수다쟁이라는 것! 그런데 '박물관에 자주 데려 가야겠다!' 이런 생각을 하자마자, 마음이 갑자기 심란해졌습니다. 이런 경구가 떠올랐거든요.

"내가 하기 싫은 일은 남에게 강요하지 말라!"

이거 어디서 많이 들어 본 말이죠? 무려 『논어』에 나온 공자님 말씀입니다. 이 문장에 나오는 '남'은 제 아이이고, '나'는 어린 시절의 저입니다. 그러니까 "내가 어렸을 때 하기 싫어한 일을 아이에게 강요해선 안 된다"

는 생각이 든 것이죠.

잠시 30여 년 전 과거로 돌아가서, 중학교 1학년 때의 일입니다. 엄마, 누나와 함께 박물관에 간 적이 있었습니다. 광화문 네거리에서 북쪽을 향해 서면 광화문이 보이잖아요? 그런데 당시에는 광화문 너머로 어마어마하게 큰 건물 하나가 불쑥 솟아 있었습니다. 짐작이 가시나요? 이 책의 독자 중에 직접 못 보신 분도 계실 텐데요, 바로 중앙청 건물입니다. 일제강점기 때는 조선총독부 청사였고, 해방 후에는 지금의 정부종합청사와 같은 역할을 했죠. 그러다 광복 50주년을 맞은 1995년에 일제 식민지 잔재 청산을 이유로 철거되어 지금은 사라지고 없습니다. 그런데 철거되기 전에 이 중앙청 건물이 국립중앙박물관이었던 적이 있습니다. 지금은 용산에 있지만요. 엄마, 누나와 함께 갔던 박물관이 바로 이 예전의 국립중앙박물관입니다. 제 기억에 남아 있는 최초의 박물관 관람이었죠.

첫 번째 전시실을 절반쯤 관람했을 무렵 '아, 지루하다. 이거 언제 다 보냐?' 하는 생각이 들었습니다. 그때 번뜩 한 가지 아이디어가 떠올랐고, 엄마에게 이렇게 말했습니다.

"우리 따로 다니면 안 돼? 난 천천히 보고 싶은데."

"그래, 그럼."

"사람도 많으니까, 혹시 못 만나면 그냥 집에서 보기

로 해요. 혼자 버스 타고 갈 수 있어요."

엄마의 오케이 사인을 받은 뒤 저는 관람 속도를 조금씩 늦추었습니다. 이윽고 엄마와 누나가 시야에서 사라진 걸 확인하고 다른 전시실로 냅다 튀었고, 그때부터 거의 뛰다시피 전시실을 하나하나 돌기 시작했습니다. '주마간산'이라는 말로도 부족할 정도의 스피드로! '난 분명 다 본 거다!' 그러고는 박물관을 유유히 빠져나와 얼른 버스를 타고 동네로 돌아와 무사히 친구네 집 안착에 성공! 그때의 제 모습이 아직도 생생합니다.

도대체 왜 그랬을까요? 어릴 때부터 역사를 좋아했고, 중앙청에 갔을 당시에도 역사에 대한 관심이 여전한 때였거든요. 그런 저에게 역사 유물이 한가득 들어 있는 박물관이 왜 그렇게 재미가 없었을까요?

'나도 어렸을 땐 박물관, 별로였는데……' 이런 생각이 드니까 아이에게 박물관 같이 가자는 말이 나오지 않았습니다. 그래도 혹시 얘는 나와 다르지 않을까, 하고 말을 꺼내 보았는데 역시나였죠. 물론 더 조르면 끝까지 거부할 녀석은 아니지만, 제가 바란 것은 능동적 참여입니다. 그래야 제 원고에도 긍정적으로 작용할 테고요. 저는 아이가 흔쾌히 오케이 할 만한 회심의 카드를 꺼냈습니다.

"야, 아빠랑 같이 책 한번 써 볼래?"

"정말?"

무려 공동 집필을 제안한 것입니다. 아빠가 쓴 책을 (주로 '표지만'이긴 하지만) 보아 왔고, 가끔 서점에 갔을 때 아빠 이름이 있는 책을 발견하면 (초면, 구면을 가리지 않고) 사람들에게 자랑을 늘어놓곤 한 녀석이었습니다. 아이는 '자기 이름이 적혀 있는 책표지'를 상상하며 미소 짓더니 제가 던진 미끼를 덥석 물었습니다.

"오케이!"

그러나 이내 걱정이 되었습니다. 공동 저자로 이름을 올리는 건 제가 결정할 수 있는 문제가 아닙니다. 출판사 편집부의 생각은 저와 다를 수도 있죠. 책에 이름을 함께 올리지 못할 수도 있는데 그러면 더 실망하지 않을까, 하는 생각이 들었습니다.

"물론 출판사 사정에 따라서는……."

"괜찮아. 그럴 수도 있지."

이렇게 살짝 김을 뺀 뒤에 아이에게 또 하나의 카드를 제시했습니다. 평소에 아이가 갖고 싶어 한 장난감을 사 주기로 한 것입니다. 이것으로 포섭 성공!

부자간 거래가 성사된 뒤 우리는 박물관 관람에 나섰습니다. 용산의 국립중앙박물관이었죠. 세 개 층으로 이루어진 거대한 상설전시장에서 가장 먼저 들어간 전시실은 1층 선사·고대관입니다. 정면의 큰 벽을 가득 채운 울산 반구대 암각화 복원 그림을 슬쩍 보면서 오른쪽으로 방향을 틀면, 구석기시대 대표 유물인 주먹도끼가 스포트라이트를 받으며 떡, 하니 서 있는 것이 보여야 하는데⋯⋯ 이런, 사람들이 바글바글 모여 있는 모습만 보일 뿐입니다.

다가가 보니 해설자가 주먹도끼 옆에 벽을 등지고 있고, 초등학생 10여 명이 주먹도끼 쪽을 향해 반원을 그리며 서 있었습니다. 해설자의 긴 설명이 진행되고, 그 와중에 해설자와 학생 사이에 질문과 대답이 오갔습니다.

박물관에 올 때마다 곳곳에서 수많은 해설자를 만나게 됩니다. 박물관 큐레이터도 있고, 재능 기부를 하는 자원봉사자도 있고, 학교 선생님이나 현장학습 지도 교사도 있습니다. 그런데 저는 언제부터인가 '해설자가 설명을 하고 관람객이 듣는' 이 패턴이 마음에 들지 않았습니다. 개별적으로 온 관람객도 사정이 다르지 않아 보입니다. 시선이 잠시 유물에 머물렀다가 바로 유물 해설판으로 옮겨집니다. 유물 보는 시간보다 해설판 설명을 읽는 시간이 더 길죠. 심지어 유물을 보기 전에 해설판을 먼저 읽는 경우도 있습니다.

'박물관에 왜 온 거지? 유물 보러 온 거 아닌가?' 유물을 보는 것보다 설명을 듣고 읽는 것이 더 중요하다면 굳이 박물관에 갈 필요가 없습니다. 서점에 가면 박물관의 유물을 소개하는 책이 아주 많습니다. 해설자가 시간의 제약으로 충분히 해 주지 못하는 이야기, 해설판이 공간의 제약으로 담지 못한 뒷이야기까지 친절하게 들려 주는 책이 많죠. 어린이의 눈높이에 맞춰 재미있게 구성한 책도 많습니다. 책상에 앉아서도 유물에 대한 양질의 정보를 얼마든지 얻을 수 있죠.

해설자와 초등학생 일행이 구석기실로 들어가고, 드디어 저와 아이가 주먹도끼 앞에 섰습니다.

"자, 일단 한번 살펴봐!"

아이가 몇 초간 쓰윽 보더니, 절 쳐다봅니다.

"다 봤어."

"다 보긴! 더 봐! 좀 멀리 떨어져서도 보고, 바짝 가까이 가서도 보고……. 1분 준다!"

툭 까놓고 말해서, 과거 선조들이 사용했던 물건 중에서 대단해 보이는 건 별로 없습니다. 현대인의 시각에서는 단순하고 투박하고 유치해 보이는 경우가 대부분이죠. 아이들이 보기엔 더 그럴 테고요. 그러니 자세히 봐야겠다는 생각이 잘 들지 않고, 단 몇 초 만에 바로 다음 유물로 건너뛰게 됩니다. 게다가 박물관에는 전시된 유물이 많아도 너무 많습니다. '이걸 언제 다 봐?' 하는 조급증까지 더해지니 더 서두르게 됩니다.

이쯤에서 한 말씀 드리자면, 어떤 유물을 대하든 우선은 아이가 충분히 관찰할 수 있게 시간을 주면 좋겠습니다. 그런데 이때 꼭 권하고 싶은 것이 있습니다. 유물을 보다 보면 자연스럽게 시선이 가게 되는 것, 바로 해설판을 보지 말라는 것입니다. 해설판보다 더 큰 유혹도 있죠. 오디오 가이드입니다. 해설자의 설명을 듣는 것보다 현장감은 좀 떨어지지만 좋은 점도 있습니다. 해설자가 설정해 놓은 동선을 따를 필요 없이, 혼자 자유롭게 다니며 보고 싶은 것 위주로 볼 수 있으니까요. 헤드폰 그림이 유리창에 새겨진 유물 앞에 서면 맞춤형 해설이 흘러나오니 아이들이 재미를 느낍니다. 그러나 이 역시 '유물을 보기 위해 존재하는 공간'이라는 박물관의 콘셉트와는 어딘지 잘 어울리지 않는 것 같습니다. 박물관은 기본적으로 무언가를 관찰하고 그것을 토대로 생각해 보는 공간 아닐까요? 내가 직접 보고 느끼기 전에 다른 사람이 정리해 놓은 것을 먼저 보고 듣는 것은 앞뒤가 바뀐 것 같습니다.

아이가 1분간의 주먹도끼 보기를 마칠 때쯤, 제가 물었습니다.

"이거 뭐 하는 데 사용한 도구 같아?"

"이거 엄청 멋진데? 나도 하나 갖고 싶다."

"엥? 넌 이게 멋있게 보이냐?"

"이거 혹시 지배자들이 폼 나 보이려고 가지고 다니던……."

"아, 액세서리나 장신구, 뭐 그런 거 말하는 거야?"

"응!"

순간 실소가 터져 나올 뻔했습니다. '청동기 전시실에서나 할 이야기를 구석기 전시실에서?' 청동기 전시실에 가면 거울, 종, 방울 등 다양한 청동 장신구가 있습니다. 당시 지배계층이 권위를 나타내기 위해 또는 종교적 활동을 위해 사용했다고 해석되는 것들이죠. 그런데 아들 녀석이 어디서 주워들었는지 엉뚱한 유물에 대해서 지배자가 어쩌고, 액세서리가 어쩌고 하고 있는 것입니다. 이럴 때는 깔끔하게 정리해 줄 필요가 있습니다.

"아들아, 이건 말이다. 구석기시대 사람들이 쓰던 만능 도구야. 찌르고 자르고 때리기가 가능한, 지금으로 치면 맥가이버칼 같은 거지."

몇 년 전쯤, 아이가 어디서 보았는지 '맥가이버칼'이라는 이름으로 더 많이 불리는 스위스 아미 나이프를 사 달라고 졸랐습니다. 위험해서 안 된다, 나중에 더 크면 사줄게, 하는데도 갖고 싶다면서요. 절대 사용은 하지 않고 가지고만 있겠다는 다짐을 받고서야 결국 사 주었습니다. 제가 주먹도끼를 맥가이버칼에 비유한 건, 아이가 맥가이버칼을 알기 때문이기도 하지만 저를 포함해서 유물 해설자들이 주먹도끼를 설명할 때 흔히 쓰는 비유이기 때문입니다. '맥가이버칼'이라는 한 단어로 깔끔하게 정리되었다고 생각하고 다른 유물로 넘어가려 하는데, 아이가 퉁명스럽게 말했습니다.

"이게 무슨 맥가이버칼이야? 이런 거로 어떻게 찌르고 자르고 때리고가 가능해? 장난감으로 갖고 노는 거라면 또 몰라도."

"뭐?"

순간 짜증이 확 났습니다. 이 자식이 첫 번째 유물부터 억지를 부리네? 그런데 구석기실 입구로 들어서는 와중에 갑자기 번뜩, 머리를 한 방 맞은 것 같은 기분이 들었습니다. 그러고는 기분이 확 좋아졌죠.

그 이유는 제 아이가 기존 학계의 통설을 뒤집을 새로운 학설을 제시했기 때문이 결코 아닙니다. 제가 주목한 것은, 의심의 여지없이 자명해 보이는 대상을 아이가 의심했다는 점입니다. 나는 그런 적이 있던가? 그동안 책에서, 박물관에서 주먹도끼를 수도 없이 접했지만 '기존의 정설이 틀릴 수도 있어'라는 의심을 해 본 적이 있었던가? 당시 아이와 나눈 대화는 이후 저의 유물 보는 태도를 확 바꾸어 놓았습니다.

박물관에 가면 유물과 해설이 있습니다. 마치 수학에 문제와 정답이 있는 것처럼 말이죠. 해설의 다양한 장치 가운데 가장 내용도 좋고 수준도 높은 것은 바로 박물관 큐레이터의 전문 해설입니다. 국립중앙박물관의 상설전시실에 가면 전시실 입구마다 안내판이 있습니다. 하루 몇 차례, 정해진 시각에 큐레이터의 해설 프로그램이 있다는 정보를 알려주죠. 큐레이터의 해설은 아주 폭넓고 또 한편으로는 아주 상세합니다. 그래서 박물관에 갈 때마다 저도 즐겨 듣는 편입니다. 다만 한 가지 말씀드리고 싶은 것이 있는데요, 아이와 함께 해설을 듣고자 할 때는 그 전에 미리 한 단계를 거쳐 놓으면 좋겠습니다. 해설을 듣기로 계획한 전시실을 미리 가 보라는 것입니다. 충분히 시간을 들여 유물 하나하나를 자세히 살펴보는 거죠. 예습이라고 해도 좋습니다.

'잘 보는 노하우' 같은 것이 따로 있는지는 잘 모르겠지만, 저의 경우는 유물을 볼 때 이렇게 합니다. 우선 정면에서 봅니다. 멀리서 전체의 모양을 보다가 점점 가까이 다가가고, 마침내 유리에 코가 닿을 정도가 되면 현미경으로 보듯 세밀한 부분까지 보는 거죠. 그러고는 몸을 움직여 좌우 측면도 살펴봅니다. 가능하면 위에서도 보고 아래에서도 보고요.

박물관에 직접 가서 보는 것이 책으로 읽는 것과 다른 결정적 차이는 입체적인 감상이 가능하다는 겁니다. 벽을 등지고 있는 전시물은 180~270도, 홀 가운데 놓인 전시물은 360도 빙 돌면서 감상할 수 있죠. 어떤 것은 발끝을 세우면 유물의 윗부분도 볼 수 있습니다. 유물의 키가 너무 커서 볼 수 없으면 팔을 위로 뻗어 스마트폰으로 찍은 뒤에 사진을 통해 보는 것도 방법입니다

(물론 사진 촬영이 가능한 전시실에서만입니다).

국립중앙박물관의 각 전시실에는 독방이 하나씩 있습니다. 방 한가운데에 국보급 유물을 딱 한 점만 배치하고 은은한 조명 아래에서 관람할 수 있게 해 두죠. 3층 불교조각실에도 그런 방이 있는데, 이곳에는 금동반가사유상이 전시되어 있습니다. 역사 교과서나 미술 교과서, 각종 어린이 한국사 책에 단골로 등장하는 바로 그 불상입니다.

방에 들어가자마자 불상의 정면을 마주 보게 되는데, 몇 미터 거리를 앞두고 의자 몇 개가 놓여 있습니다. 박물관 측의 배려가 아닐까 싶습니다. 앉아서 천천히 감상하라, 뭐 이런 뜻 아닐까요. 혹은 석가모니가 출가하기 전 반가부좌로 앉아 고뇌하는 모습을, 같은 자세로 따라해 보라는 뜻일지도 모르겠습니다.

의자에 앉아 금동반가사유상을 보고 있는데 해설자 한 명과 학생 여러 명이 함께 들어왔습니다. 잠시 후 해설자의 설명이 끝나고 학생들이 나갈 무렵, 대열에서 이탈해 불상의 뒤쪽을 서성이던 한 학생이 "선생님!" 하고 외쳤습니다.

"머리 뒤에 뾰족하게 튀어나온 이건 뭔가요?"

"불상에는 보통 광배라는 것이 붙어 있어요. 부처님이 성스럽게 보이도록 머리나 등 뒤에 광명을 표현한 거죠. 그런데 시간이 오래되어 광배가 떨어져 나가고 지금은 연결 부위만 남은 거예요."

해설자의 설명에 고개를 끄덕이며 방을 빠져나가던 그 학생의 모습이 아직도 기억에 남아 있습니다.

그렇다면 아이가 역사 유물을 볼 때, 어떤 점을 신경 쓰도록 조언해 주면 좋을까요? 가장 핵심은 그 유물이 왜 만들어졌느냐, 즉 용도를 파악해 보는 것입니다. 과거의 물건이든 현재의 물건이든 인간이 만든 모든 것은 다 그 쓰임이 있으니까요. '우리 선조는 이 물건을 왜 만들었을까? 어디에 쓰려고?' 유물을 마주 대하는 아이가 이 질문을 가장 먼저 던질 수 있도록 이끌어 주면 좋겠습니다.

박물관에 가면 가장 많이 보게 되는 품목인 도자기를 예로 들어 보겠습니다. 우리가 보는 도자기 중에는 무언가를 담는 그릇으로 사용하기 위해 만들어진 것이 많습니다. 그렇다면 담기는 담는데 무엇을 담는 도자기냐, 하는 것이 문제겠죠. 대개의 도자기는 안이 텅 비어 있고, 그 공간을 들락날락할 수 있는 입이 있습니다. 입구와 출구가 따로 있는 경우도 있고요. 모양도 다르고 크기도 모두 다릅니다. 이런 여러 특징을 살펴 내가 보고 있는 도자기의 용도가 무엇일까 유추해 보는 것입니다. 음식을 저장하는 용도, 음식을 먹을 때 사용하는 용도, 물이나 술 등 액체를 담는 용도 등등, 이 정도만 생각해 보아도 유물 관람의 70~80퍼센트는 한 것입니다.

그다음으로 보아야 하는 것이, 겉으로 드러나 있는 모습입니다. 표면에 어떤 글씨, 어떤 그림, 어떤 무늬가 새겨져 있거나 그려져 있는지를 살펴보는 거지요. 동물 무늬가 있으면 무슨 동물인지 아이에게 물어보세요.

"이거 뭐 같아? 고양이? 호랑이야?"

그럴싸한 답을 내놓기도 하고, 엉뚱한 답을 하기도 할 겁니다. 어떤 답이든 좋습니다. 맞으면 어떻고 틀리면 또 어떤가요? 수백 년 전 사람이 그린 호랑이가 우리 눈에는 고양이로 보일 수도 있습니다. 아이에게 물어봐 놓고 정작 부모도 모를 수 있습니다. 그럴 때는 "나도 잘 모르겠는데"라고 하면 그만입니다. 한 발 더 나가서 이런 질문을 덧붙여 보세요.

"왜 하필 호랑이일까?"

옛 조상들은 왜 이런 그림을 그렸을까 상상해 보게 해 주세요.

"그냥 호랑이를 좋아해서?"

"호랑이 그림을 그려 두면 그린 사람을 지켜줄 것 같아서?"

"그린 사람이 범띠라서?"

옛 조상과의 대화가 뭐 별건가요? 이것이 대화가 아니고 무엇인가요?

앞에서 제가 어린 시절 경험을 털어놓으며 박물관이

참 재미없었다고 했는데요, 왜 그랬을까 곰곰 생각해 보고 내린 저의 결론은 이렇습니다. 전시 기획자가 전시실을 재미없게 꾸몄거나, 큐레이터의 설명이 어려워서 재미가 없는 것이 아닙니다. 박물관은 그 자체로, 태생적으로 재미가 없을 수밖에 없는 공간이기 때문이라는 생각입니다.

박물관은 두 가지 한계를 안고 있는데요, 하나는 시간의 한계이고 또 하나는 공간의 한계입니다. 박물관에 전시된 모든 유물은 과거 어느 특정 시점에 만들어지고 사용된 것들이죠? 국립중앙박물관의 구석기시대 뗀석기이든, 서울역사박물관의 1970년대 흑백텔레비전이든 만들어 사용한 시간이 지금과는 차이가 있습니다. 또한 이들은 어느 특정 장소에서 만들어지고 사용된 것인데, 발굴자나 소장자의 손에 이끌려 박물관으로 들어온 뒤 일정한 과정을 거쳐 전시실에 배치됩니다. 이렇게 시간도 엉뚱한 시간이고 공간도 엉뚱한 공간에 전시된 유물이니 '태생적으로' 재미가 없는 것 아닐까요?

그럼 이 태생적 한계를 극복하는 방법이 무엇일까요? 앞서 나왔던 주먹도끼를 예로 들어 보겠습니다. 아이가 주먹도끼를 처음 본다고 가정해 볼게요. 그럼 첫 반응이 "도대체 이게 뭐야?" 하는, 이런 반응이지 않을까요? 지금과는 전혀 다른 시간과 공간에 존재했던 물건이었으니, 이렇게 반응하는 것이 당연하겠죠. 그러고는 이런 인식에 도달할 겁니다. "이건 현대 사람들이 쓰는 물건과는 다르네."

이때 우리가 해야 할 일은 아이가 호기심을 가지고 주먹도끼를 만든 구석기시대의 사람과 대화를 나누게 도와주는 겁니다. 여기에서 대화란 주먹도끼를 자세히 뜯어보면서 옛사람의 생각을 추적하는 과정입니다. 저는 이 과정이 아이에게 매우 중요하다고 생각합니다. 고고학자와 역사학자가 주먹도끼의 쓰임에 대해 모두 밝혀 놓았고, 해설가가 설명해 주는 것을 들으면 되는데 왜 굳이 아이가 그런 과정을 거쳐야 하냐고요? 나에게 낯선 무언가를 앞에 두고 그것에 대해 스스로 관찰하고 답을 내려 보는 것 자체가 나와 그들, 지금과 그때의 차이를 즐기는 과정이기 때문입니다.

보호자는 아이가 생각한 것이 '맞다', '틀리다'로 결론 내려 주기보다는, 그렇게 차이를 즐기는 과정을 지속할 수 있도록 옆에서 돕는 것이 중요합니다. 아이가 이런 과정을 즐길 수만 있다면, 박물관의 태생적 한계를 오히려 장점으로 활용할 수도 있지 않을까요?

# 5
# { 공간이 다르면 시간도 달라진다 }

"아빠, 왔어?"

저녁에 현관문을 열며 집에 들어서는데 거실 쪽에서 아이 목소리만 들립니다. 걸어 들어가 아이 시야에 들어갔는데도 녀석의 눈은 TV에만 콕 박혀 있습니다.

"이 자식이, 아빠가 왔는데!"

잔소리를 한 방 먹이며 화면으로 눈을 돌리니 영화 한 편이 시작되고 있었습니다.

"와우!"

제가 탄성을 지른 이유는 30여 년 전 추억의 영화 「백 투더퓨처 1」(1987)이 막 시작되고 있었기 때문입니다. 운이 좋게도 이제 막 시작한 데다, 신나게도 화면 좌측 상단에 '1, 2편 연속 방송'이라는 자막이 떠 있었습니다. 잔소리를 접고 아이 옆에 붙어 앉아 이 영화에 대한 추억담을 늘어놓기 시작했습니다.

사실 어렸을 때는 영화를 썩 즐기지 않았습니다. 집에 비디오카세트가 있었으니 마음만 먹으면 얼마든지 영화를 빌려 볼 수 있었는데도 그때는 영화에 별로 흥미가 없었습니다. 심지어 대부분의 어린이와 청소년이 좋아했던 「스타워즈」 같은 영화조차도 보지 않았으니까요. 고등학생 시절, 한번은 주말에 영화관에 가자는 친구의 성화에 못 이겨 그러자고 약속을 했습니다. 그 영화가 바로 「백투더퓨처 2」(1990)였죠.

"「백투더퓨처」? 들어 본 것 같긴 한데……."

"야!"

친구가 한심하다는 듯 쳐다보고는 저를 자기 집으로 데려갔습니다.

"주말에 영화관 가려면 미리 공부를 해야지!"

그때 친구 집에서 비디오로 본 영화가 「백투더퓨처 1」입니다. 기대하지 않아서였을까요? 너무 재미있었습니다. 내가 여태 왜 이걸 안 봤지? 후회할 만큼 재미있었죠. 본 영화가 워낙 적어서 그렇겠지만, 제가 청소년 시절에 가장 재미있게 본 영화 1위는 「백투더퓨처 1」이고, 2위는 「백투더퓨처 2」입니다.☺ 정말 한심하죠?

그러니 30여 년 만에 다시 만난 이 영화가 반가울 수 밖에요. 게다가 영화관에서 보았던 「백투더퓨처 2」는 1985년에서 2015년으로 간다는 설정인데, 우리 아이는

2015년에서도 4년이 지난 2019년에 이 영화를 보고 있으니 격세지감이란 말은 이럴 때 쓰는 건가 봅니다.

「백투더퓨처 1」 앞 대목에 브라운 박사가 마이클에게 타임머신의 성능을 자랑하는 장면이 있습니다. 세 개의 시간 계기판을 켜고 맨 위의 것을 가리키며 이렇게 말하죠.

"이건 네가 가게 될 시간을 의미해. (……) 독립선언문에 서명하는 것을 직접 확인하고 싶다고 치자. 그럼 1776년 7월 4일을 입력하면 돼. 예수님의 탄생을 보고 싶다면? 0년 12월 25일을 입력하면 되지. 과학 역사에 획을 그은 날짜는 1955년 11월 5일이고 말이야."

그러면서 브라운 박사는 '1955년 11월 5일'을 입력합니다.

"그날이 무슨 날인데요?"

"내가 타임머신을 발명한 날이지."

그러고 나서 브라운 박사가 "사실은 이 타임머신을 탑재한 차량을 운행하는 데 필요한 1.21기가와트를 얻기 위해 내가 플루토늄을 훔쳤어"라고 말하고 있는데, 갑자기 리비아 테러 단체가 나타납니다. 브라운 박사에게 그 플루토늄을 도난당한 이들이었죠. 브라운 박사는 총에 맞아 쓰러지고, 마이클은 얼떨결에 타임머신 탑재차를 타고 1955년 11월 5일로 과거 여행을 시작합니다.

그러나 30여 년이 지나 이 영화를 다시 보던 중 저는 한 가지 심각한 문제가 있다는 걸 깨달았습니다. 「백투더퓨처 1」의 1부가 끝나고 광고가 한창 흘러나올 때쯤 아이에게 말을 꺼냈죠.

"브라운 박사의 타임머신에는 치명적인 결함이 하나 있어. 그게 뭐 같아?"

"모르겠는데."

"아까 본 그 계기판 있잖아."

"응."

"그건 시간 설정만 가능하지 공간은 설정할 수 없어. 위도와 경도로 공간 좌표를 표시하는 계기판은 따로 없잖아?"

브라운 박사의 타임머신으로는 과거든 미래든 어느 시간에든 갈 수 있지만, 도착 지점은 출발 지점과 똑같다는 겁니다. 영화에서도 마이클이 도착한 시점은 30년 전이었지만 장소는 동일했죠. 앞에서 브라운 박사는 이 타임머신을 이용하면 독립선언문에 서명하는 것도 볼 수 있고, 예수의 탄생도 볼 수 있다고 의기양양하게 말했지만, 실행하는 건 생각보다 만만치가 않습니다. 브라운 박사가 비행 조종사라 항공노선을 꿰고 있으면 또 모르겠지만 말입니다.

브라운 박사는 왜 공간을 선택할 수 있는 기능을 생각하지 않은 걸까요? 그리고 우리는 왜 시간 계기판을 보면서 공간 계기판은 떠올리지 못했을까요?

하루는 아이에게 다음 문장을 읽어 보게 했습니다.

1895년 10월 경복궁에서 명성황후 시해 사건이 일어나고(을미사변), 일본으로부터 위협을 느낀 고종은 이듬해인 1896년 2월 러시아공사관으로 피신한다(아관파천). 고종은 1897년 2월 경운궁으로 환궁하여 대한제국을 선포하고 황제가 된다.

1895~1897년 고종 시대의 정치사를 제가 아주 짧게 정리해 본 것인데요, 문장이 너무 압축적인 데다 사전 지식이 없이는 이해하기 어려운 내용이라 아이는 어리둥절해 했습니다. 을미사변, 아관파천, 대한제국에 대해 차근차근 설명해 주자 대략 이해는 한 눈치지만, 표정은 여전히 어두웠죠.

"고종이 여기저기 참 많이 돌아다녔네. 그런데 경복궁은 가 봤으니까 알겠는데 러시아공사관은 어디고, 경운궁은 어디야?"

"어디가 어딘지 모르니까 더 어렵지?"

사건이 일어난 공간에 대해서 알고 있으면 현장감을 느낄 수 있고, 일련의 사건을 머릿속으로 쉽게 그려볼 수 있을 겁니다. 그러면 을미사변, 아관파천, 대한제국 성립의 과정이 더 잘 이해되지 않을까요?

앞에서도 말씀드렸지만, 제 아이는 학교에서 돌아오면, 그날 하루에 있었던 일을 시시콜콜 브리핑하기 좋아합니다. 이런 식으로요.

"학교 가는 길에 횡단보도에서 아이들을 챙기시던 아파트의 같은 동 아주머니와 눈이 마주쳐 인사를 했고, 문방구 주인 아저씨와도 인사를 했고, 방과 후에 피아노 학원에 갔다가 연습 마치고 학교 운동장에 가서 축구를 했고, 잠시 분식점에 들러 떡볶이를 사 먹고, 친구가 사는 아파트 앞 놀이터에서 놀다가 집에 왔어."

아이가 하는 이야기를 듣다 보면, 자연스럽게 아이가 지나간 장소가 머릿속에 그려집니다. 이미 오래전부터 각인되어 속속들이 떠올릴 수 있는 아이의 등하굣길, 학교, 상가, 학원, 주변 놀이터 등 아이의 주요 생활공간 말이죠. 그래서 아이가 겪은 시간과 내 머릿속에 있는 공간을 결합하면 아이의 하루를 생생하게 재구성해 볼 수 있습니다. 이렇게 공간을 이해하고 있으면, 그걸 토대로 새로운 질문을 던져 좀 더 심층적인 정보를 얻을 수 있습니다. 예를 들면, 학교 근처의 오르막길이 눈길이라 미끄럽지 않았는지, 아이가 자주 가는 떡볶이 집에 우리 아파트에 사는 할머니가 또 손자를 데리고 왔는지, 편찮으시다던 문방구 주인아주머니가 오늘은 나오셨는지, 학교 운동장이 공사 중인데 어떻게 놀았는지 등등. 그와 반대로 제가 한 번도 가 본 적이 없는 곳에 아이가 현장학습을 갔다거나, 새로 사귄 친구의 집에 놀러 갔다는 말을 할 때가 간혹 있는데, 그럴 때는 그 공간이 떠오르지 않아서 자세히 설명해 주어도 이해도가 확 떨어지는 기분이 듭니다.

다시 1895~1897년 고종 시대의 정치사로 돌아와서, 이번에는 그때의 사건을 공간으로 재구성해 보겠습니다. 우선 아관파천부터. 광화문을 정문으로 둔 경복궁의 위치는 대부분의 사람이 알고 있다고 가정하고, 그럼 러시아공사관은 어디일까요? 포털 사이트의 지도를 검색하면 쉽게 찾을 수 있습니다. '러시아공사관'을 입력하면 '구러시아공사관'이 표시된 지도가 뜹니다. 한국전쟁 때 건물 대부분이 파괴되었지만, 3층짜리 전망탑이 그 자리에 남아 있습니다.

우리는 이 정도의 공간 지식만 가지고도 몇 가지 정보를 추론할 수 있습니다. 우선, 러시아공사관이 경복궁에서 그리 멀지 않은 곳에 있었다는 겁니다. 경복궁의 서쪽 영추문에서 러시아공사관까지는 대략 1.6킬로미터입니다. 도보로 20분이면 갈 수 있는 거리죠. 그러나 가깝다고 단정해 버리면 안 됩니다. 고종이 왕이라는 점을 감안해야 합니다. 왕이 걷기엔 상당히 부담되는 거리였을 겁니다. 실제로 고종이 피신하던 그날 고종은 세자(훗날의 순종)와 함께 궁녀가 타는 가마를 타고 경복궁을 몰래 빠져나왔다고 합니다. 그 뒤에도 계속 가마로 이동했겠죠. 그럼, 고종은 경복궁에서 러시아공사관으로 갈 때 어떤 길을 이용했을까요? 이것은 쉬운 문제가 아닙니다. 현대의 서울 지도가 아니라 당시에 제작한 지도가 있어야 합니다. 다행히 길 표시도 되어 있는 당시의 지도가 지금까지 남아 있습니다. 그렇다고 이동로를 우리 마음대로 최단 거리로 상정하는 것은 무의미합니다. 지름길에 일본군 초소가 있었거나 우리가 알 수 없는 사정으로 우회로를 택했을 수도 있으니까요. 고종이 지나간 코스를 고증하려면 사료를 바탕으로 엄밀히 따져봐야 하는데, 여기서부터는 전문역사가의 영역이니 일단 넘어가기로 하겠습니다. 이쯤에서 아이가 이런 질문을 할 수도 있겠습니다.

"걸어갔든 가마를 타고 갔든, 어느 길로 갔느냐가 뭐가 중요해?"

"중요하지!"

아관파천을 '경복궁에서 러시아공사관으로 이동했다'는 한 문장으로 정리하고 넘어가는 것과 공간 개념을 넣어 이미지로 떠올려 보는 것은 이해의 폭에 차이가 큽니다. 그 사건에 대해 느껴지는 긴박감의 정도도 다르고요. 고종은 러시아공사관에서 일 년을 머문 뒤 환궁을 하는데요, 그런데 환궁한 궁궐이 경복궁이 아니라 '경운궁'입니다.

"경운궁이 어딘지 알아?"

"그것도 궁궐이야? 나야 당근 모르지."

"인터넷 들어가서 사전 찾아봐. 네가 잘 아는 궁궐 이름하고 같이 나올 거야."

"어디 보자, 음…… 아! 경운궁이 덕수궁이야? 거기 몇 번 가 봤잖아, 우리."

고종이 환궁할 당시만 해도 덕수궁은 '경운궁'이라고 불렀는데, 1907년 고종이 강제 퇴위를 당한 뒤 이름이 덕수궁으로 바뀌었습니다. 그래서 지금은 덕수궁이라 부르고 있죠.

"지도에서 덕수궁도 검색해 봐!"

아이가 검색해 보더니 깜짝 놀랍니다.

"어? 러시아공사관하고 가깝네?"

아관파천 일 년 후 고종은 대한제국을 선포합니다. 그런데 그 장소가 경복궁이 아니라 경운궁이었습니다. 고종은 왜 경복궁으로 가지 않았을까요? 왜 러시아공사관과 바싹 붙은 곳에 새 궁궐(경운궁)을 지은 걸까요?

잠시 서울역사박물관으로 가 보겠습니다. 상설전시관 2존, '개항, 대한제국기의 서울' 전시실에 가면 당시 경운궁 일대의 모습을 재현한 복원 모형 전시물이 있는데요, 보는 순간 경운궁의 규모에 놀라게 됩니다. 지금의 덕수궁은 직접 가 보신 분은 느끼셨겠지만, '제국'을 칭한 나라의 황궁이 맞나 싶을 정도로 너무 작다는 느낌이 들죠. 그러나 과거의 경운궁은 지금보다 세 배나 컸습니다. 일제강점기를 거치면서 궁궐 영역이 쪼그라들어 지금처럼 된 것이죠. 그 전시물에서 또 하나 봐야 할 것은 경운궁 주변에 서양식 건물이 많았다는 겁니다. 러시아공사관을 비롯하여 영국공사관, 프랑스공사관, 미국공사관 등이 모두 경운궁과 한몸처럼 붙어 있었고, 외국인이 주로 묵었던 '손탁 호텔'도 이곳에 있었습니다.

여기에서 우리는 고종이 경복궁으로 가지 않고 경운궁으로 간 이유를 추론해 볼 수 있습니다. 경복궁은 명성황후가 시해된 곳인 데다 일본의 영향권 안에 있었습니다. 그래서 경복궁이 조선왕조의 정궁이었음에도 불구하고 고종은 그곳으로 돌아가고 싶지 않았을 겁니다. 그렇다면 당시 창덕궁과 창경궁도 있고 경희궁도 있었는데 왜 경운궁을 새로 지은 걸까요? 서구 열강의 공사관이 대거 포진한 이 지역이 일본의 간섭을 배제하고 자주 외교를 펼치기 좋은 입지 조건이라고 판단했을 가능성이 큽니다. 역사적 사건이 발생한 장소를 아는 것과 모르는 것의 차이는 이렇게 큽니다. 러시아공사관과 경운궁의 위치를 살펴보고 역사적 사건이 일어난 공간에 대한 이해까지 곁들이면 위와 같은 새로운 추론이 가능한 것이죠.

주말이면 가족과 함께 야외로 나들이를 많이 하는데

요, 자주 가는 곳 중 하나가 역사 유적입니다. 궁궐, 절, 왕릉, 사당, 옛 성 등등, 전국에 다양한 역사 유적이 정말 많이 있죠. 그런데 문제는 역사 유적 역시 박물관 못지않게, 특히 아이에게는 재미없는 공간일 가능성이 크다는 겁니다. 부모 입장에서도 박물관은 다양한 유물이 풍부하게 모여 있으니 아이에게 조금이나마 공부가 되겠지 싶은 공간인 반면, 역사 유적은 어딜 가나 그게 그거 같거든요. 궁궐을 다녀와도, 절을 다녀와도, 왕릉을 다녀와도, "오늘 간만에 잘~ 놀았다!" 하며 두루뭉술하게 끝내는 경우가 많습니다.

우선 궁궐 이야기를 해 보겠습니다. 과거에는 왕이 살았으니 궁궐이었지만 지금은 사람이 살지 않기 때문에 '고궁'이라고 부르기도 하지요. 궁궐에 들어가면 눈에 보이는 것이 크게 세 가지입니다. 문과 담벼락과 건물이죠. 문을 통과하면 건물이 보이고, 건물 뒤에 있는 문을 통과하면 또 다른 건물이 나타납니다. 건물과 건물 사이를 담벼락이 막고 있고요. 다 비슷하게 생겼어요. 사이즈만 다를 뿐이죠. 축구는 몇 시간을 해도 지치지 않는 아이가, 고작 한 시간을 느릿느릿 걷는 데도 "힘들다", "다리 아프다"를 연발합니다. 집에 돌아오면 아이 기억에 남는 것은 궁궐 안 연못의 물고기에게 먹이를 던져 준 기억뿐입니다.

절에 가도 사정은 다르지 않습니다. 특히 절은 산

에 있는 경우가 많습니다. 주차장에서 최소 5분, 길면 20~30분을 걸어 올라가야 합니다. 어른이야 '등산 간다'는 생각으로 간다지만 아이는 대개 힘들어하죠. 문짝도 없는 문, 괴물처럼 생긴 조각상 네 개가 양옆에 버티고 있는 문, 그리고 이름 모를 또 하나의 문을 통과하면 여러 건물이 모여 있는 마당에 도착합니다. 눈에 보이는 건물은 궁궐에서 본 것과 그게 그거 같습니다. 건물 안에 있는 불상도 모두 비슷비슷해 보일 뿐이죠. 마당에 돌로 만든 것들이 서 있는데, 탑은 알겠는데 다른 건 잘 모릅니다.

궁궐과 절 못지않게 자주 가는 곳이 조선시대 왕릉입니다. 서울과 경기도 곳곳에 있는데요, 태릉이나 정릉처럼 왕비 한 사람만 묻힌 곳도 있지만 부부를 함께 모신 곳이 보통입니다. 서삼릉, 서오릉, 더 나아가 동구릉처럼 여러 능이 함께 모여 있는 대규모 왕릉도 있습니다. 제가 어렸을 때는 왕릉이 꽤 괜찮은 놀이터였습니다. 경사진 잔디밭을 떼굴떼굴 굴러 내려오는 재미가 쏠쏠했거든요. 물론 지금은 당연히 '출입금지' 구역입니다. 그나마 위안이 되는 건 수목원처럼 나무가 많아서 산책코스로 제격이라는 것인데, 이런 분위기를 좋아하는 건 주로 어른입니다. 솔직히 말해서 저도 관심을 두고 공부하기 전까지는 별로 재미가 없었습니다. 데이트나 가족 나들이 공간이었을 뿐이죠.

그러나 가만히 생각해 보면 역사 유적은 박물관보다 나은 점이 있습니다. 아주 오래전 과거에 만든 공간이지만, 당시 사람들이 실제 살았던 곳이라 우리가 책이나 사극 드라마에서 만났던 사람의 흔적이나 그들이 자아낸 이야기를 오롯이 간직하고 있으니까요. 그래서 박물관에 갈 때와 달리 미리 예습을 하고 가면 아이와 즐거운 대화를 나눌 수 있습니다. 책에서 본 인물이나 사건을 좀 더 폭넓게 이해할 수가 있죠.

한번은 가족과 함께 선정릉에 갔습니다. 성종의 묘 선릉宣陵과 중종의 묘 정릉靖陵이 함께 있는 왕릉이죠. 산책 겸 거닐다가 아이에게 말을 건넸습니다.

"조선시대 왕 중에 성종하고 중종이라고, 혹시 들어본 적 있냐?"

"설마 내가 알 거라고 기대하고 묻는 건 아니지?"

"태정태세문단세, 예성연중인명선……."

이때 '성'과 '중'을 강조해서 읊자 아이가 아는 것이 나왔다는 듯 기뻐했습니다.

"아하, 연산군! 연산군 바로 앞이 성종, 바로 다음이 중종이구나!"

"그런데 성종과 중종은 공통점이 하나 있어. 죽고 나서 안타까운 일을 겪었지."

"또 역사 이야기를 시작하려 하시는군요, 아버님."

"빙고! 오늘 여기 구경하면서 좀 이상한 거 못 봤어?"

"아니."

"성종은 부인과 같이 묻혔는데, 중종은 혼자야."

"왜? 이혼했어? 아니면 왕비가 죽었어?"

"조선시대 왕은 그런 일이 생기면 바로 다른 부인이 생겨. 중종은 왕비가 셋이나 있었고."

중종의 첫 번째 왕비는 단경왕후 신 씨입니다. 중종이 왕자 시절에 혼인했고, 중종반정이 성공하여 남편 덕에 왕후가 되었는데, 문제는 친정아버지가 연산군과 가까운 사람이었다는 겁니다. 결국 왕후가 되자마자 폐위되고 말았죠. 두 번째 부인은 장경왕후 윤 씨인데 후덕한 스타일이었지만 오래 살지 못하고 죽었습니다. 세 번째로 맞이한 부인이 바로 사극 드라마 「여인천하」에서 배우 전인화가 분한 문정왕후 윤 씨입니다.

두 번째 부인 장경왕후는 서삼릉의 희릉에 묻혔고, 문정왕후보다 먼저 세상을 떠난 중종은 장경왕후 곁에 나란히 묻혔습니다. 그런데 문정왕후가 그 꼴을 못 보고 중종의 무덤만 지금의 선정릉 자리로 옮겨 버렸습니다. 일단 장경왕후와 갈라놓고 나중에 자기가 남편과 가까이 묻히려고 말이죠. 결국 문정왕후는 죽은 뒤 그 뜻을 이루는데요, 얼마 못 가서 문제가 생겼습니다. 지대가 낮아 홍수가 자주 나는 바람에 문정왕후의 무덤만 지금의 자리(태릉)로 옮겨야 했던 겁니다. 그렇게 해서 중종은 왕비를 셋이나 두고도 지금처럼 나 홀로 있게 되었죠.

"그럼, 성종은 뭐가 불운했어?"

"임진왜란 때 왕릉이 왜구에게 도굴을 당했어. 그래서 유골이 남아 있지 않지."

"헐!"

이런 대화를 나누고 나면, 왕릉은 더 이상 '큰 무덤들이 있는, 아주 넓고 나무가 많아 산책하기 좋은 곳'으로만 인식되지는 않을 겁니다. 역사 인물들의 이야기가 실제로 펼쳐진 공간으로, 역사의 현장으로, 그 의미가 확장되겠죠.

박물관 유물의 경우는 아이가 아무런 선입견 없이 살펴보면서 자연스럽게 옛 조상과 대화를 나누면 좋겠다는 말씀을 드렸는데요, 역사 유적에 갈 때는 방법을 좀 달리 하면 좋겠습니다. 궁궐, 절, 왕릉 등에서 보는 옛 건축물의 모습이 전문가의 눈에는 다 달라 보이지만 아이 눈에는 거의 똑같습니다. 호기심을 느끼고 질문하는 단계까지 나아가지 못하는 것이죠. 그러니 아이와 함께 역사 유적에 갈 때는 부모가 그곳에서 실제로 살았던(또는 묻힌) 역사 인물의 이야기를 조금 준비해 가면 좋지 않을까 싶습니다.

6

## 역사 지도는 관점에 따라 다르다

저희 집에는 세계 지도가 세 장 있습니다. 아이 방 책상 앞에 앉으면 마주 보이는 벽면의 약간 위쪽에 직소퍼즐로 만든 작은 세계 지도가 붙어 있고, 거실에는 지금은 거의 용도 폐기되었지만 떼면 자국 남을까 봐 그냥 놔둔 유아용 세계 지도가 있습니다. 마지막으로 안방의 침대가 면한 벽에 붙어 있는 세계 지도가 가장 크고 좋은데, 내용도 비교적 상세합니다. 종종 침대에 누워 아이와 뒹굴뒹굴하며 수다를 떨다가 세계 지도에 눈이 꽂히면 갑자기 '공부 본능'을 발동시킵니다.

"아들, 중국이 어디인공?"

"아, 진짜! 내가 그걸 모를까봐."

아이가 옆에 있던 작은 베개를 던져 중국을 맞추면 제가 다시 문제를 냅니다.

"오! 그럼, 중국하고 국경을 맞대고 있는 나라는 모두 몇 나라일까~요?"

호기심이 발동한 아이가 지도 앞에 벌떡 서서는 손가락으로 헤아려 봅니다. 북한을 시작으로 시계 반대 방향으로 "북한, 러시아, 몽골, 카자흐스탄……" 베트남까지 헤아리고 나서 미소 짓습니다.

"13개!"

"땡! 으하하하!"

내 이럴 줄 알았다! 중국사 강연을 할 때도 한 번씩은 물어보는데, 아이든 어른이든 한 번에 맞추는 경우가 거의 없습니다. 국경이 표시된 지도를 보여 주고 맞추라고 해도 마찬가지죠. 복병이 하나 있기 때문인데요, 바로 '아프가니스탄'입니다. 소축척 지도로 보면 중국과 떨어져 있어 보이지만, 자세히 보면 아프가니스탄은 오른쪽으로 가느다란 선처럼 이어져 중국의 서부 국경과 맞닿아 있습니다.

"정답은 14개!"

안방의 세계 지도는 아이가 초등학교 2학년 때쯤 산 것이니, 이걸 사줄 때는 아이가 진정한 세계인이 되기를 바라는 부모의 마음을 담지 않았겠어요? 하지만 아이보다는 제가 더 자주 쳐다보는 것 같습니다.

저는 꽤 어렸을 때부터 지도 보는 걸 좋아했습니다. 특히 초등학교 몇 학년 때부턴가 사회과부도라는 걸 갖게 되면서 본격적으로 지도 탐구를 시작했죠. 여러분 중에도 꽤 있을 것 같습니다. 지인과 이야기를 나누어 보면 저처럼 어렸을 때부터 사회과부도를 끼고 살았다는 사람이 적지 않습니다. 사람들이 지도를 좋아하는 이유가 뭘까요? 이 분야 전문가들이 어떻게 설명하는지는 모르겠지만, 제 무의식을 들여다보면 내가 사는 곳을, 나라를, 전 세계를, 지도 한 장으로 한눈에 파악할 수 있을 것 같다고 느끼기 때문이 아닐까 싶습니다.

저의 경우는 어렸을 때부터 역사를 좋아한 데다 지도에 대한 관심까지 더해 역사 지도를 보는 것도 참 좋아했습니다. 특히 위인전에서 자주 만나는 광개토대왕, 알렉산드로스 대왕, 칭기즈 칸, 나폴레옹 등의 영웅이 세계를 무대로 전쟁을 벌여 영토를 넓혀 가는 것을 보여주는 화살표들과 그들이 차지한 영토에 칠해진 특정한 색의 넓은 면을 볼 때면 흥분을 감출 수 없었죠.

중·고등학교 시절 주로 시험 대비용으로 접한 뒤로 20년 동안 잊고 지내던 어느 날, 역사 지도와 재회할 기회가 생겼습니다. 아틀라스 역사 시리즈의 책임편집을 맡게 된 것입니다.

제가 이 프로젝트에 참여한 건 역사 지도 분야의 전문 편집자였기 때문이 결코 아닙니다. 당시 시중에 나와 있는 '지도로 보는 역사' 콘셉트의 책은 대부분 번역서였으니 국내에 전문 편집자가 있을 리가 없었죠. 제가 책임편집자가 된 건 『아틀라스 중국사』(사계절, 2007)의 기획이 시작될 무렵에 그 출판사에 입사했고 또 마침 제가 중국사 전공자였기 때문입니다. 그 뒤 중국사에 이어, 일본사와 중앙유라시아사까지 약 10년 동안 총 3권의 책을 편집했습니다. 이 과정에서 '아하, 역사 지도란 이런 것이구나!' 하고 몇 가지 깨달음을 얻을 수 있었죠.

아이의 한국사 책 읽기가 조선시대에 도달했을 즈음, 아이를 불렀습니다.

"집에 스케치북 있지? 가져와 봐. 스카치테이프랑 색연필, 볼펜, 연필과 지우개도!"

저는 B4 사이즈 스케치북 두 장을 붙여서 B3 사이즈로 만들고 나서, 아이가 보는 앞에서 색연필로 오른쪽에서 왼쪽으로 곡선 하나를 단숨에 휙 그었습니다.

지도1

"무슨 그림으로 보이는공?"

"우리나라 지도로 보인당."

'자식, 눈치 빠른데? 너무 알아보기 쉽게 그렸나?'

이 그림은 학창 시절, 역사 수업 시간에 흔히 보았던 지도입니다. 기억나시죠? 역사 선생님이 설명을 하다가 갑자기 뒤로 휙 돌아서서는 칠판에다가 분필로 단숨에 그리곤 했던 바로 그 우리나라 지도 말입니다. 물론 선생님에 따라 '정밀함(?)'에 차이가 있었죠. 무성의하게 U자 모양으로 휙 그은 선생님도 있고, 경상북도의 호미곶이나 황해도의 옹진반도만큼은 빼놓지 않고 챙기는 선생님도 있었죠.

지도는 크게 두 종류로 나뉩니다. 일반도와 주제도. 일반도는 앞에서도 말씀드린, 어느 집에나 있는 그런 지도입니다. '세계 지도'나 '대한민국 전도' 또는 사 놓고는 책장 구석에 처박아 두고 잘 펴보지 않는 접이식 '서울특별시 지도' 같은 지역별 지도를 떠올리면 됩니다. 산, 강, 해안선 등 자연 요소와 국경, 행정구역, 도로 등 인문 요소를 두루 담은 지도입니다. 지방선거 때도 이 지도를 그대로 사용할 수 있습니다. 광역단체장과 기초단체장 선거구는 행정구역과 동일하니까요.

그러나 총선이라면 지역구를 나타내는 지도가 따로 필요합니다. 이런 지도를 주제도라고 하는데요, 말 그대로 특정 주제를 나타낸 지도입니다. 일반도인 서울특별시 지도에 주요 박물관이나 유적지, 옛 건축물을 표시하면 '서울특별시 문화재 지도'라는 이름의 주제도가 만들어지겠죠. 만약 아관파천에서 대한제국 성립기까지의 주요 역사적 사건과 고종의 피신 동선을 표시하는 역사 지도를 만든다면? 이 또한 주제도입니다. 역사 지도 역시 주제도에 속하죠.

그렇다면 제가 조금 전 스케치북에 그린 지도는 분류상 어디에 속할까요? 아직은 알 수 없습니다. 물론 제가 역사 지도에 관한 이야기를 하려고 그린 것이지만, 어쨌든 지금 그려진 모습만 가지고는 역사 지도라고 단정할 수 없습니다. 아니, 심지어는 지도라고 말할 수도 없습니다. 이 그림이 지도가 되려면 더 나아가 역사 지도가 되려면 어떤 요소가 추가되어야 하기 때문입니다.

제가 조금 전에 그린 것을 '우리나라 지도'라고 단언한 아이에게 시치미를 떼고 물었습니다.

"이게 우리나라 지도인 거 어떻게 알아?"

"에이, 맞잖아. 딱 봐도 맞는데."

"그렇게 대충 말고, 왜 그런지 설명을 해 봐."

계속 우기기만 하는 아이의 기를 살짝 눌러 준 뒤, 이번에는 색연필보다 촉이 얇은 볼펜으로 곡선을 하나 더 그리고 그 중간에 ▲ 표시를 했습니다. 그 위에 '백두산'이라고 쓰고, 그 좌우에 각각 '압록강'과 '두만강'이라고 써넣었죠. 그러고는 한반도의 허리쯤에 90도 누운 Y

자 선을 그리고 '한강'이라고 표기했습니다.

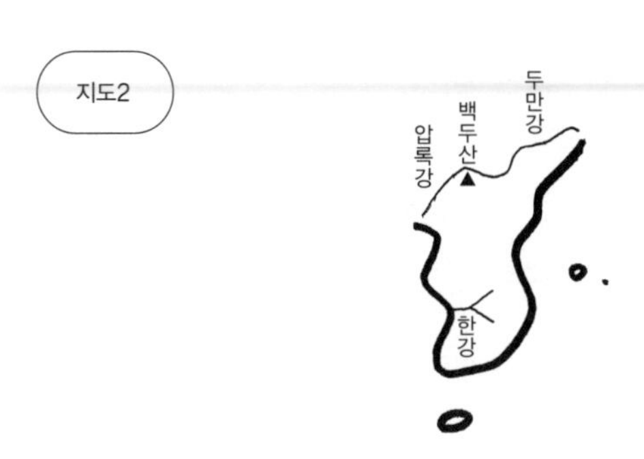


"거봐, 맞네. 우리나라 지도."

"아까는 지도가 아니었어. 지금부터가 지도지!"

이제 드디어 100퍼센트 우리나라 지도가 되었습니다. 그러나 이 지도를 '역사 지도'라 볼 수 있을까요? 역사 지도의 사전적 정의는 "역사적 사건이나 옛 지명 또는 사회 발전의 역사적 과정을 보여 주는 지도"입니다. 다르게 말하면, '과거 특정 시점의 사건이나 상태를 보여 주는 지도'인 거죠. 그렇다면 제가 그린 지도의 경우는 어떨까요?

지명이 바로 그 힌트입니다. 지도의 지명이 과거에 사용된 지명인가, 현재 사용되고 있는 지명인가, 아니면 과거에서 현재까지 쭉 사용해 온 지명인가에 따라 지도의 성격이 달라지는 거죠. 제가 그린 지도에 나오는

'압록강', '두만강', '백두산', '한강'은 과거에도 사용했고 지금도 사용하고 있는 지명입니다. 따라서 역사 지도라고 단정하기엔 이릅니다.

저는 이 지도에 몇 가지 요소를 추가했습니다. 한강 이북에 ⊙를 그려 넣고 그 위에 '한성'이라고 표기한 뒤 범례 박스를 만들어 ⊙를 그리고 옆에 '수도'라는 설명을 달았습니다.

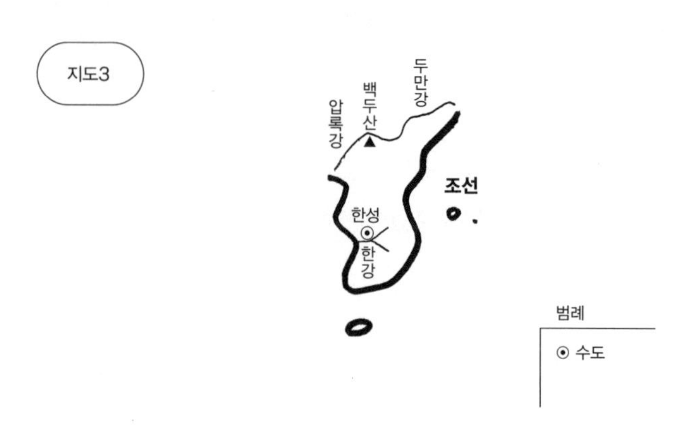


"어? 여기 서울 아니야? 한성은 뭐야?"

"조선시대에도 수도가 서울이었어. 그런데 부르는 이름이 달랐어. 뭐였지? 책에 나오지 않아?"

"아, 한양?"

"맞아. 땅 이름이 한양이라서 흔히들 '한양'이라고 불렀는데, 공식 행정구역 명칭은 한성부였어. 그래서 '한성'이라고도 하지."

"아하, 그럼 나라 이름을 '조선'이라고 넣어야겠네?"

이제 드디어 역사 지도가 되었습니다. 조선시대(1392~1910)라는 과거의 특정 시대를 나타내는 것임을 분명히 드러냈으니까 말입니다. 만약 '한성' 대신 '경성'으로 표기했다면, 일제강점기(1910~1945)를 나타내는 역사 지도가 되었을 것입니다. 만약 '서울'로 되어 있다면? 서울이 '서울특별시'가 된 것이 1946년이니 한국전쟁(1950~1953)을 나타내는 역사 지도의 밑바탕이 될 수도 있고, 대한민국 시기의 다른 주제도로 쓰일 수도 있겠죠.

그런데 여기에서 새로운 문제가 생깁니다. 이 지도가 조선시대를 나타내는 것은 분명하지만 조선시대 전체를 나타내는 것인지, 1392년에서 1910년 중 어느 특정 시기를 나타낸 것인지는 '아직은' 알 수 없다는 것입니다.

저는 다시 색연필을 들었습니다. 압록강 하구에서 시작해서 시계 방향으로 쭉 내려 긋다가 왼쪽으로 휙 돌렸습니다. 그 사이에 두 곳을 뾰족하게 그렸는데, 하나는 랴오둥반도이고 또 하나는 산둥반도입니다.

"중국이네. 그런데 좀 썰렁하다."

"좀 그렇지?"

우리나라 지도처럼 뼈대가 있으면 좋겠다 싶었습니

다. 그래서 우리나라 지도에 강을 그려 넣은 것처럼, 중국을 대표하는 두 강, 즉 '황허문명'으로 유명한 황허黃河와 중국에서 가장 긴 창장長江을 그려 넣었습니다. 한반도에도 '조선'이라고 써넣었으니, 중국대륙에도 나라 이름을 적어야겠죠? 저는 황허와 창장 사이에 '명'이라고 적고 황허 하류의 윗부분에 ⊙를 그려 넣고 '북경'이라 표기했습니다.

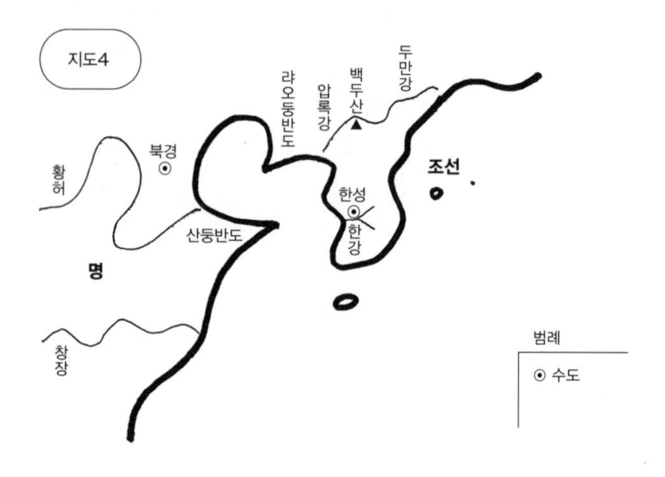


여기에서 우리는 이 역사 지도가 나타내는 시점을 생각해 볼 필요가 있습니다. 명나라는 1368년 건국해 1644년에 멸망했습니다. 그런데 여기에서 주의할 점이 하나 있습니다. 앞서 경복궁과 자금성에 관해 이야기할 때를 떠올려보세요. 명나라는 건국 초에는 수도가 남경이었는데, 3대 황제 영락제가 1403년 북경으로 천도했습니다. 그러니 우리나라와 중국을 함께 그린 이 지도는 1403년에서 1644년 사이의 어느 한 시기를 나타낸 지도가 되어야 하는 거죠.

"아빠, 일본도 넣어 주자!"

"그래, 일본은 네가 그려 봐!"

아이가 스마트폰에서 일본 지도를 검색해 따라 그렸습니다. 가운데에 의자 모양으로 큰 섬을 그린 뒤 의자 위에 목 받침처럼 하나, 의자 아래에 다리처럼 두 개의 섬을 넣어 얼추 일본열도를 완성했죠. 저는 가운데 큰 섬에 '일본'이라는 이름을 적고, 지금의 도쿄 자리에 ⊙를 그려 넣은 뒤 '에도'라고 표기했습니다.

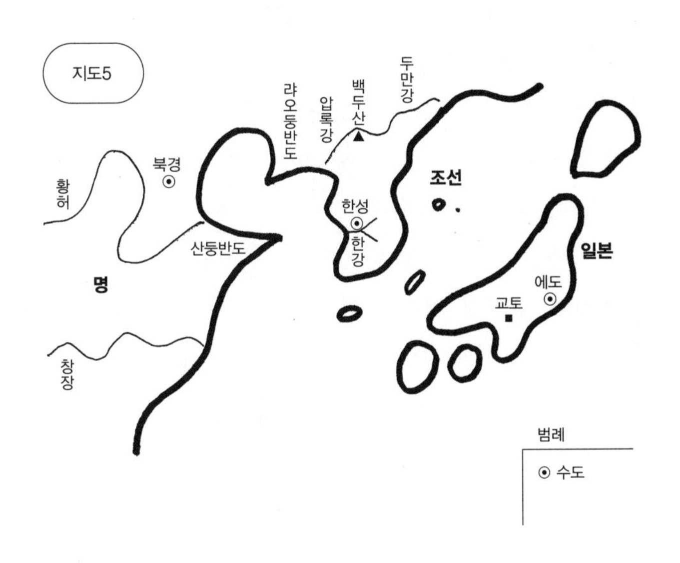

일본은 유사 이래 교토가 줄곧 수도였는데, 도쿠가와 이에야스가 새로운 막부를 설치한 뒤 에도(지금의 도쿄)가 수도가 되었습니다. 당시 천황은 계속 교토에 거주했지만 유명무실했고, 실질적인 권력을 에도 막부가 장악하고 있었기 때문에 에도를 수도로 보아도 무방합니다. 그런데 에도 막부가 존속한 기간은 1603년에서 1867년까지입니다. 그러니 이 정보까지 취합해서 세 나라의 교집합을 구해 보면 이 역사 지도의 시간 범위는 1603년에서 1644년까지가 되는 거죠.

이렇게 해서 한·중·일 세 나라를 중심으로 하는 역사 지도가 완성되었습니다. 이 자체로 동아시아 세 나라의 판도를 나타내는 역사 지도라고 볼 수도 있고, 다른 역사 지도를 만들기 위한 바탕 지도로 쓸 수도 있습니다. 그럼, 이 지도를 바탕 지도 삼아 특정 주제의 역사 지도를 두 컷만 만들어 보겠습니다.

먼저 유정이라는 인물의 활동을 담은 지도입니다. 유정(1544~1610)은 우리에게 '사명당', '사명대사'로도 잘 알려진 인물이죠. 불교 승려였던 그는 임진왜란(1592~1598) 당시 승병을 이끌고 의병 활동을 하는 한편, 일본군 장수 가토 기요마사와 강화회담을 벌이기도 했습니다. 전란이 끝난 뒤에는 직접 일본으로 건너가 외교활동을 펼쳤는데, 그 시기는 에도 시대가 시작된 지 얼마 안 된 1604년에서 1605년까지였습니다. 그러니 이 바탕 지도는 유정의 외교 행로를 나타내기에 안성맞춤이죠. 저는 집에 있는 몇 권의 책을 참조하여 연필로 유정의 외교 행로를 그렸습니다.

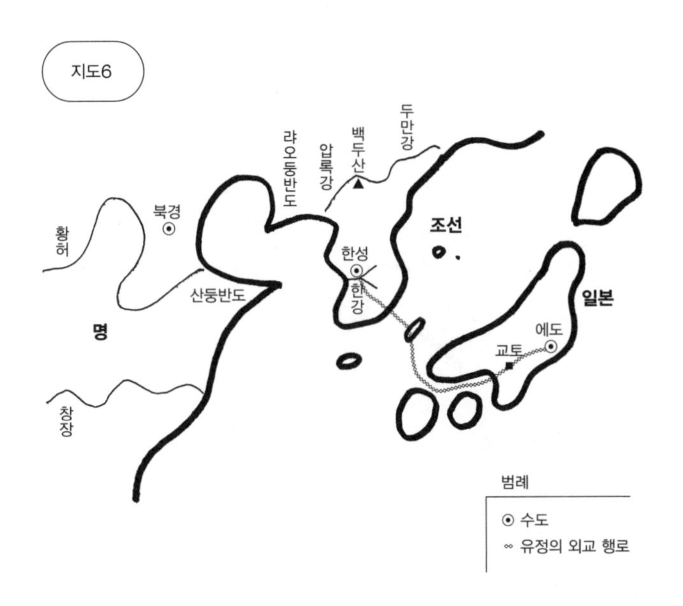


"다른 주제로 한번 해 볼까?"

조금 전에 그린 것을 지우고, 이번에는 볼펜으로 몇 가지 요소를 추가했습니다. 랴오둥반도의 서쪽에서 북쪽으로 강줄기 하나를 그린 뒤 '랴오허'라고 강 이름을 표기하고, 그 오른쪽에 ⊙를 그려 넣은 뒤 '선양'瀋陽이라고 써넣었습니다. 그리고 그 오른쪽에 '명'과 똑같은 글자 크기로 '청'이라고 표기했습니다. 청나라는 1636

년 청 태종이 건국한 나라입니다. 이렇게 해서 지도의 시점을 1636년에서 1644년까지로 확 좁혀 놓고, 병자호란(1636~1637) 당시 청나라군의 이동 경로를 그려 가며 아이에게 전쟁 과정을 설명해 주었습니다.

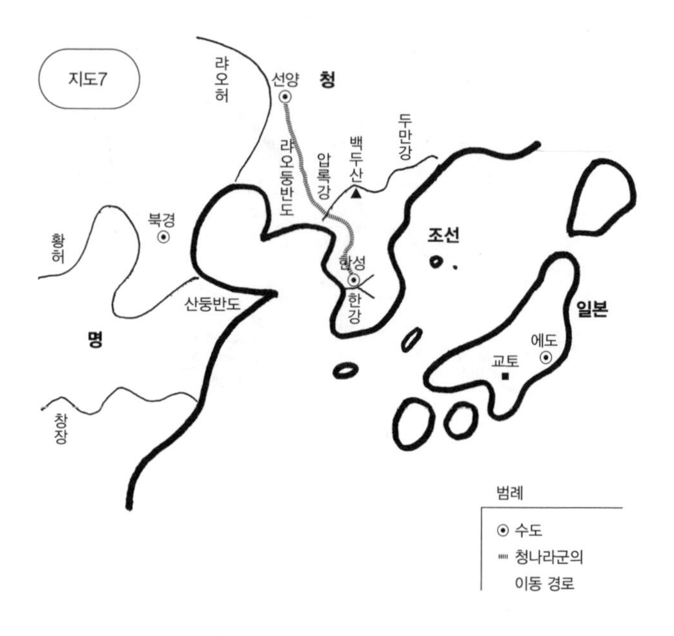


유정의 외교 활동이나 병자호란은 한국사에서 무척 중요한 사건인데요, 글로만 읽을 경우 사건의 전개 과정을 우리나라(조선)를 중심으로 인식하기가 쉽습니다. 그러나 역사 지도를 펼쳐 놓고 함께 읽으면 이웃 나라(명, 청, 일본)까지 포함해 더 넓은 시야로 역사 공부를 할 수 있습니다. 이런 과정을 통해 우리나라의 역사를 좀 더 객관적으로 파악할 수 있는 거죠. 관심의 대상을 '나'에게 한정 짓지 말고 나와는 다른 상대방으로 넓혀 나갈 때 '나'가 더 잘 보인다는 점을 역사 지도를 통해 아이에게 가르쳐 주면 어떨까요?

역사 지도는 아이가 역사 이야기를 읽을 때 좋은 친구가 될 수 있습니다. 역사 인물이 활동한 공간, 역사적 사건이 일어난 공간을 종이 위에 시각적으로 표시한 것이라, 직접 유적을 답사하는 것에 버금가는 현장감을 느낄 수 있죠.

그러나 역사 지도는 텍스트를 보조하는 역할에만 머물지 않습니다. 때로는 장황한 설명보다 단 한 장의 역사 지도가 역사적 진실을 더 명확히 전해 주는 경우도 있습니다. 그 예를 하나 말씀드리겠습니다.

방금 전에 역사 지도를 그린 스케치북을 뒤집어서, 이번에는 작은 박스를 하나 만들고 다음과 같이 그렸습니다.

"아들아, 이것도 지도야."

"이렇게 그린 거는 지도인지 아닌지 알 수 없다면서!"

"여기 '지도'라고 쓰여 있으니까 지도인 거야!"

"쳇!"

"빗금 친 부분은 바다야. 무슨 지도로 보여?"

"당근 모르지."

"이건 좀 전에 그린 거하고 비슷한, 한·중·일 세 나라를 나타낸 지도야."

"엥?"

저는 지도8 옆에 똑같은 지도를 하나 더 그렸습니다. 이번에는 여기에 선과 면을 추가했죠.

지도9

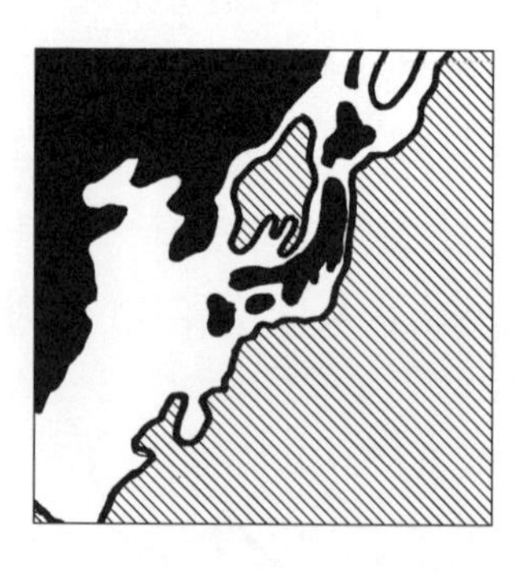

"어? 정말 여기(지도9)에는 한국, 중국, 일본이 다 들어가 있네? 그럼 처음에 그린 지도(지도8)는 뭐야?

"네가 장신구라고 했던 그 주먹도끼 있잖아? 그거 사

용한 사람들이 살았던 구석기시대 초기에는 한국과 중국, 일본의 육지와 바다가 대충 이런 모습이었어."

"와우~ 진짜?"

한국사 책을 보면 우리나라의 구석기시대는 70만 년 전에 시작되었다고 서술되어 있습니다. 충북 단양에서 구석기인들이 살았던 석회암 동굴이 발견되었는데, 조사 결과 70만 년 전의 것으로 밝혀졌기 때문입니다.

그렇다면 이웃 나라 일본은 어떨까요? 일본 고고학계는 1990년대까지만 해도 일본의 구석기시대가 우리나라와 비슷하게, 70만 년 전에 시작되었다고 주장했습니다. 그러나 현재는 일본의 구석기시대가 대략 7만 년 전에 시작된 것으로 다시 정리되고 있습니다. 그렇다면 '70만 년 전'이라던 시작점이 '7만 년 전'으로 확 내려온 이유가 무엇일까요?

지도10은 2000년 이전에 일본이 그린 구석기시대 유적 지도입니다. 특히 지도의 '미야기' 지역은 우리나라의 단양처럼 일본 구석기시대가 70만 년 전에 시작되었음을 입증한다는 유적입니다. 그런데 지도상에 표시된 점의 종류가 ●과 ◆ 두 가지입니다. 둘 다 구석기 유적인데 이렇게 차별화해서 표시한 이유가 있습니다. '미야기' 유적을 포함해서 ◆는 한 명의 고고학자가 무려 20년 동안 발굴한 성과입니다. 한 고고학자가 이렇게 많은 발굴을 하다니, 뭔가 좀 수상하지 않나요?

2000년 10월, 일본의 한 신문 기사가 세계 고고학계를 큰 충격에 빠뜨렸습니다. 일본 고고학자 후지무라 신이치가 구석기 유물을 조작했다는 보도였죠. 그가 땅에 석기를 파묻는 장면이 몰래카메라에 포착되었고, 그 동영상이 주요 언론을 통해 보도되면서 유적을 날조한 사실이 밝혀진 것입니다. 이후 일본 고고학협회가 진상조사를 벌였고, 후지무라 신이치가 관여한 유적 발굴지 180여 곳 가운데 162곳이 날조된 것으로 밝혀졌습니다.

그렇게 해서 일본의 구석기시대 시작점이 7만 년 전으로 바뀌었습니다. 지도10에서 ◆를 빼면, 오늘날 일본의 주요 구석기시대 유적 지도가 되는 거죠.

"아빠, 후지무라 어쩌고 그 사람, 왜 그런 거야?"

"성과를 잘 내고 싶어서 사기를 친 거지, 뭐."

"헐~."

"그런데 너도 우리나라 역사가 엄청 오래되었다고 하면 좋을 것 같아?"

"글쎄, 굳이…… 하긴 기왕이면……."

후지무라 신이치가 누가 봐도 무모해 보이는 이런 짓을 한 것은 물론 개인의 일그러진 욕망 때문일 것입니다. 그러나 조작 사실이 밝혀진 뒤에 그가 한 인터뷰 내용이 의미심장합니다.

"주변의 기대와 요구에 조작을 해서라도 부응하고 싶었다."

여기에서 '주변의 기대와 요구'는 일본인의 것입니다. 일본의 구석기시대 시작 시점이 더 오래전이면 좋겠다는 욕망이죠. 그런데 그 욕망이라는 것이 끝이 없습니다. 10만 년 전 유물이 나오고, 이어서 20만 년 전, 30만 년 전 유물이 나오면 '30만 년이면 충분하다, 이제 그만 나와도 된다'고 생각할까요? 절대 그렇지 않습니다. '우리가 한때 지배한 한국보다 우리 역사가 늦게 시작되었다니, 그게 말이 돼?'라며 '70만 년 전' 이상을 상상하는 단계까지 이르지 않았을까요? 그리고 그 상상대로 마침내 70만 년 전 유물이 나왔을 때, '그거 좀 이상한데'라는 의심이 들어도 애써 외면하고 '맞겠지' 하고 믿어 버린 것입니다.

'가장 오래된'이나 '조금이라도 더 오래된'을 기대하는 심리는 어떻게 형성된 것일까요? 근대 이후 자민족의 유구한 역사를 강조함으로써 나라와 민족에 대한 자긍심을 갖게 하려는 정치적 의도에서 비롯되었다는 이야기는 이미 여러 학자가 한 바 있습니다. 그런데 신석기시대나 청동기시대, 철기시대에 대해 그런 욕망을 품는 것은 물론 바람직하지 않지만 백번 양보해서 그럴 수 있다고 쳐요. 그러나 구석기시대까지에 그런 심리를 투영하는 것은 전혀 이해가 되지 않습니다. 왜 그럴까요?

저는 앞서 그린 지도8과 같은 지도를 하나 더 그렸습니다. 이번에는 다음과 같이 두 개의 점을 찍고 각각 '단양'과 '미야기'를 넣었습니다.

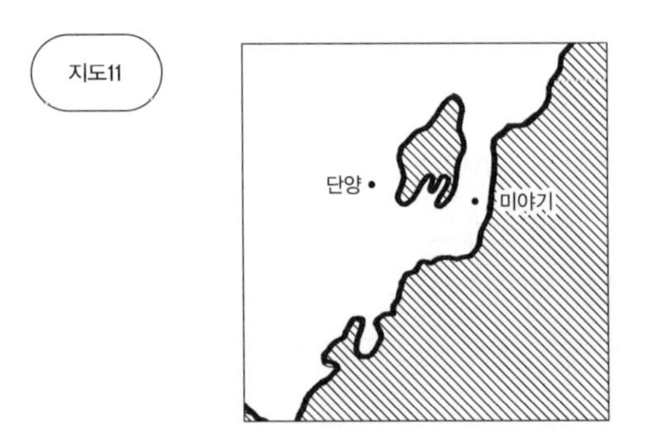


"아빠, 미야기는 가짜라고 했잖아. 왜 또 넣은 거야?"

"네 말이 맞아. 그런데 미야기도 진짜 70만 년 전 구석기 유적이라고 가정을 해 보자는 거야. 자, 이 지도를 보면 어떤 느낌이 들어?"

아이가 한참을 생각하고도 아무 반응이 없습니다. 아무래도 좀 어려워하는 것 같았지만 일단 설명을 이어 나갔습니다.

"잘 봐. 이때는 우리나라도 없고, 일본도 없던 시절이야. 단양도 없고 미야기도 없었지. 그냥 지금의 단양 위치에, 지금의 미야기 위치에 있던 어느 동굴에서 살던 사람들이 우연히 자기네가 살았던 흔적을 남긴 것뿐이야."

"그렇구나. 한국도 아니고 일본도 아니고……."

"그러니까 구석기시대를 위로 밀어올리려고 조작한 건, 정말 나쁜 짓이기도 하지만 정말 쓸데없는 짓이기도 했던 거야. 우리도 마찬가지야. 우리나라의 구석기 시대가 70만 년 전에 시작된 건 분명 사실이지만, 일본보다 빠르다고 자랑스러워할 것까지는 없는 거지."

역사 지도는 역사 공부에 필요한 훌륭한 보조 자료이면서, 우리의 고정관념을 깨주는 역할을 하기도 합니다. 그러나 역사 지도를 볼 때 꼭 유의해야 할 점이 있습니다. 역사 지도가 역사적 사실을 언제나 공정하게 드러내지는 않는다는 것입니다. 역사 서술이 역사가에 따라 다르듯, 역사 지도도 제작자의 관점에 따라 달라질 수 있습니다. 그 예를 하나 소개할까 합니다.

지도12. 진나라, 한나라의 최대 영역

지도12는 중국 고대사의 한 대목을 나타낸 역사 지도입니다. 500년 넘게 지속된 춘추전국시대를 통일한 진나라의 최대 영역(기원전 221~기원전 206)과 400여 년간 존속한 한나라(기원전 206~기원후 220)의 최대 영역을 나타낸 것이죠. 이 지도를 아이에게 보여 주었더니 웃습니다.

"땅 모양이 정말 특이하게 생겼네."

"한나라는 왜 땅을 넓혀도 이렇게 넓혔을까?"

"뻔하지. 다른 데는 가 봐야 고생만 하고, 별것 없었나 보네."

"그렇지!"

북쪽의 몽골 초원은 유목 민족의 땅이라 농업을 주요 산업으로 하는 한나라가 굳이 갈 필요가 없는 곳이고, 티베트고원은 해발 평균이 3,000미터가 넘는 고원이라 가 봐야 실익이 없습니다. 반면 불룩 튀어나온 부분은 위아래로 험한 산지가 있고 가운데가 사막이지만, 그사이에 둥근 띠 모양으로 오아시스 국가들이 늘어서 있습니다. 이들이 농업도 나름 발달시켰고 서역과의 교역에 중요한 교통로 역할도 했기 때문에 차지할 만한 가치가 있었던 것이죠.

"그런데 이 지도만 봐서는 당시의 역사를 잘못 알 수가 있어."

"그게 무슨 소리야?"

"이 가지와 열매처럼 생긴 부분 말이야. 실은 흉노도 차지한 적이 있었거든."

"아, 흉노!"

앞서 중항열과 한나라 사신의 대화를 소개할 때 나왔던 바로 그 흉노입니다. 당시 흉노는 국력 면에서 일정 기간 동안은 한나라와 대등하거나 심지어는 한나라를 앞서기도 했던 강대국이었죠. 그래서 한나라 초의 수십 년 동안은 영토가 지도13과 같았습니다. 오아시스 국가들이 흉노의 지배 아래 들어갔던 것입니다. 그러나 여러분도 잘 아시는 한 무제가 흉노에 파상공세를 펼친 뒤

지도13. 오아시스 국가들이 흉노의 지배 아래 있던 시기

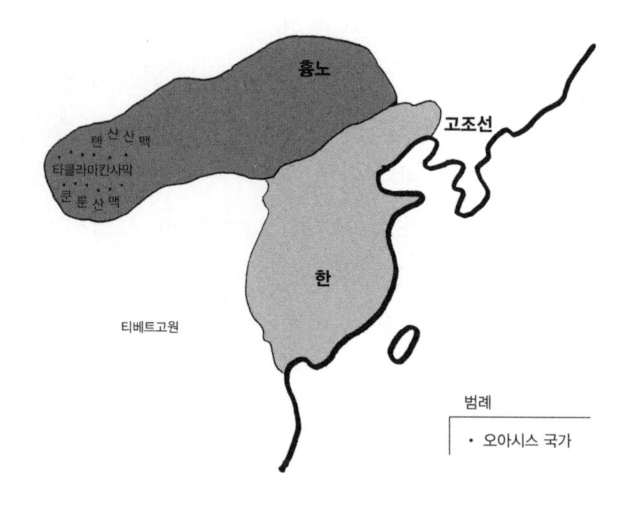


부터 이 지역은 오랫동안 두 나라의 각축장이 되었습니다. 역사 지도에 딱히 누구의 땅이라고 표시하기가 애매한 기간이 꽤 길었던 거죠.

실제로 한나라가 이 지역을 차지한 기간은 400년 역사에서 겨우 십 분의 일 정도에 지나지 않습니다. 그러나 세계사 교과서나 역사부도를 보면, 대부분 한나라의 최대 판도를 표시한 지도(지도12)만 싣고 있습니다. 만약 중국사를 다룬 책이고 한나라를 중심으로 서술하는 대목이라면 그럴 수 있습니다. 그러나 세계사를 다룬 책에서 어느 한쪽만을 부각시키는 것은 문제가 아닐 수

없습니다. 흉노도 한나라와 함께 세계사의 수많은 주인공 가운데 하나이고 한나라와 당당하게 실력을 겨룬 국가인데도 차별대우하는 것은 바람직하지 않죠.

더 큰 문제는 대부분의 책에서 이 역사 지도가 나타내는 시기를 별도로 표시하지 않고 있다는 겁니다. 한나라가 400년 내내 이렇게 땅이 넓었구나, 하는 잘못된 인식을 심어 줄 수 있는 거죠. 이런 오해를 불식시키기 위해서는, 최소한 흉노의 최대 판도도 나란히 실어 주고 그 시기도 명확히 밝혀야 하지 않을까요?

저도 어렸을 때 그랬지만, 역사 지도를 좋아하는 아이가 꽤 많습니다. 그래서 한편으로는 걱정도 됩니다. 아이가 역사 지도의 내용을 무작정 신뢰하는 건 아닐까 하고 말입니다. '지도는 정확한 것'이라는 일반적인 생각이 역사 지도에도 적용될 수 있으니까요. 다시 한 번 말씀 드리지만, 역사가에 따라 역사 서술의 관점이 달라질 수 있듯 지도 제작자에 따라 다양한 관점의 역사 지도가 만들어질 수 있습니다.

아이가 역사 지도를 마주할 때 그저 고개를 끄덕이며 넘어가지 않고, 한 번쯤은 '정말 그런가?' 하고 의심해 볼 수 있도록 부모가 잘 이끌어 주면 더욱더 재미있는 역사 지도 읽기가 될 것입니다.

# 7
# { 차이를 즐기는 역사 읽기 }

지금까지는 다양한 역사 소재를 가지고 아이와 어떻게 대화하면 좋을지에 대해 이야기했습니다. 아이가 역사 공부를 통해 '다르다'의 생각 습관을 기르고, 세상을 살며 만나는 수많은 차이를 즐길 수 있기를 바라면서요. 이번에는 한 가지 사건을 예로 들어 구체적으로 어떤 식의 대화를 풀어 갈 수 있을지 이야기해 보려 합니다. 먼저 대화 주제를 정해야겠지요? 어떤 사건이 좋을까요? 가능하면 흔히 듣거나 접할 수 있어 아이와 어른 모두에게 생소하지 않은 사건이면 좋겠습니다. 아이의 눈높이를 고려해서 「한국을 빛낸 100명의 위인들」로 돌아가 볼까요? 3절 중간에 하나의 사건으로 묶을 수 있는 인물들의 이름이 줄줄이 나옵니다.

잘 싸운다 곽재우 조헌 김시민 나라 구한 이순신 (……)
몸 바쳐서 논개 행주치마 권율

눈치채셨죠? 임진왜란입니다. 백 명의 위인 가운데 무려 여섯 명이 임진왜란과 관련 있습니다. 임진왜란이 우리 역사에서 꽤 큰 비중을 차지하는 사건이라는 것을 노래를 통해서도 알 수 있지요. 정말 도처에서 만날 수 있는 익숙한 역사 소재입니다.

서점에 가도 흔히 볼 수 있습니다. 임진왜란을 다룬 책이 많은데 가장 추천하고 싶은 것은 유성룡의 『징비록』입니다. 사건을 몸소 겪은 당대인의 기록인데다 전쟁의 원인부터 발발, 전개 과정, 종결에 이르기까지 전체상을 보여 주기 때문에 임진왜란 입문서로 손색이 없지요. 다만 만만하게 읽을 수 있는 책은 아닙니다. 조선 14대 임금 선조, 이산해, 유성룡, 이항복, 이덕형과 같은 문신과 이순신, 정발, 송상현, 이일, 신립과 같은 무신 등 우리가 들어 본 이름이 자주 등장하지만, 사이사이에 생소한 인물이 계속해서 튀어나오기 때문에 난해하게 느껴질 수 있습니다. 그런 분께는 『징비록』을 다룬 어린이책을 권합니다. 임진왜란의 주요 인물과 사건을 200쪽 내외 분량으로 추려 놓아서 하루면 충분히 읽을 수 있거든요. 아이와 함께 읽어 보시면 좋겠습니다.

드라마에서도 흔한 소재입니다. 지난 2015년에는

「징비록」도 방영되었지요. 임진왜란을 현장감 있게 이해하는 데 도움이 되겠다 싶어서 저도 그 긴 50부작짜리 드라마를 아이와 함께 보았습니다. 사실 제가 역사에 관심을 갖게 된 것은 어린 시절 보았던 드라마의 영향이 작지 않습니다. 1983년부터 1990년까지 MBC에서는 조선시대를 배경으로 총 열한 편의 드라마를 '조선왕조 오백년'이라는 큰 시리즈로 제작했습니다. 저는 그 시리즈 중에서도 「임진왜란」을 가장 재미있게 보았습니다. 화려한 컴퓨터 그래픽 기술이 쓰인 최근의 드라마와 비교하면 조잡하기 그지없었지만, 당시 이순신의 해전을 재현한 장면은 정말 대단했습니다. 이후에도 임진왜란을 소재로 한 사극이 계속 나왔죠. 2000년 이후에 나온 것만 해도 「불멸의 이순신」(2004~2005), 「임진왜란 1592」(2016) 등이 있고, 「천군」(2005), 「명량」(2014), 「대립군」(2017) 등의 영화도 개봉했습니다.

매체 밖에서도 쉽게 만날 수 있습니다. 서울에서는 국립중앙박물관이나 전쟁기념관에 가면 임진왜란 때 사용된 무기와 유물을 만날 수 있고, 경상남도 진주의 진주성에 자리 잡은 국립진주박물관은 임진왜란을 테마로 하는 임진왜란 전문 박물관입니다. 이밖에 다른 시·도에서도 임진왜란과 관련한 역사 유적은 어렵지 않게 만날 수 있습니다. 400여 년 전에 일어난 사건인데도 여전히 우리 가까이에서 수없이 회자되고 있습니다. 긴 역사에서 고작 7년이지만 임진왜란은 한국사 전체로 들어가기 위한 중요한 입구 역할을 하는 사건인 동시에 세계사로 가는 통로이기도 합니다. 아이와 함께 나눌 역사 이야기의 첫 소재로 삼기 충분하지요. 그럼 지금부터 임진왜란이라는 문을 열고 한 번 들어가 보겠습니다.

우선 '임진왜란'이라는 말의 뜻부터 설명해야겠죠? '임진' 같은 것을 간지干支라고 합니다. 갑·을·병·정·무·기·경·신·임·계 10개의 천간天干과 자·축·인·묘·진·사·오·미·신·유·술·해 12개의 지지地支를 조합해 만드는 간지는 시간을 나타내는 전통 방식이죠. 전쟁이 발발한 1592년은 천간의 '임'과 지지의 '진'을 조합해 임진년이었습니다. '왜'는 일본을 가리킵니다. 일본의 국호는 당시에도 지금처럼 '일본'이었지만 우리나라와 중국은 일본을 낮잡아 주로 '왜'라고 불렀습니다. 마지막 '란'亂은 반란이나 난리를 뜻합니다. 이렇게 임진, 왜, 란 네 글자를 풀어 임진왜란의 의미를 정의하면 임진년에 일본이 일으킨 난리 정도가 되겠지요.

일본은 왜 전쟁을 일으켰을까요? 일본은 그전에 100년 넘게 전쟁의 시대를 보내고 있었습니다. '다이묘'라고 부르는 지방 영주들이 할거해서 서로 다투었죠. 중국에도 '전국시대'戰國時代가 있지만, 일본도 이 시대를 전국시대라 부릅니다. 이 전국시대를 통일한 사람이 도요토미 히데요시인데, 그는 중국(명)뿐 아니라 아시아 전체를 정복하겠다는 야망을 품었습니다. 그래서 조선에 가도입명假道入明, 즉 자기들이 명나라로 갈 테니 길을 내어 달라고 요구했고 조선이 이를 거부하자 침략을 단행했습니다.

임진왜란을 다룬 사극을 보면 도요토미 히데요시 다음으로 많이 등장하는 일본인이 고니시 유키나가입니다. 임진왜란 발발 당시 일본군의 제1군 선봉장을 맡았고, 전쟁의 전개 과정에서 주도적인 역할을 한 인물입니다. 고니시의 1군은 4월 13일 부산 앞바다에 도착해 이틀 만에 부산진성과 동래산성을 잇달아 함락시켰습니다. 두 전투를 그린 그림이 각각 「부산진순절도」와 「동래부순절도」로 남아 있지요. 임진왜란을 다루는 책에 빠짐없이 나오는 그림이니, 그림을 자세히 살펴보고 책이나 인터넷에 나오는 설명도 함께 읽어 보면 좋겠습니다. 부산 지하철 4호선 수안역 내에 마련되어 있는 임진왜란 역사관에는 「동래부순절도」와 함께 동래산성 전투 당시의 유물이 전시되어 있습니다. 해설자의 상세한 해설도 들을 수 있으니 기회가 되면 가 보길 권합니다.

「부산진순절도」에서는 일본군이 조총을 들고 있는 모습을 볼 수 있습니다. 조총이 임진왜란 초기의 전황에 크게 작용한 사실은 많이들 알고 계실 겁니다. 조선

부산진순절도

동래부순절도

군에게는 없던 조총을 일본군은 어떻게 대량으로 보유하고 있었을까요? 당시 세계사의 흐름과 깊은 관련이 있습니다. 그러니 조총을 매개로 아이를 자연스럽게 세계사로 인도할 수 있겠죠?

조선에서 임진왜란이 일어날 당시 유럽은 대항해 시대를 열고 있었습니다. 대항해 시대는 앞서도 말씀드렸던 콜럼버스, 바스쿠 다 가마 등 여러 탐험가가 새로운 항로를 개척하면서 시작되었습니다. 일본으로 총이 전래된 사건과 관련된 것은 바스쿠 다 가마의 신항로 개척입니다. 그의 이름을 인터넷에서 검색하면 그의 항로를 나타낸 지도를 볼 수 있는데요, 항로가 굉장히 특이합니다. 포르투갈에서 출발해 아프리카 남단을 거쳐 시계 반대 방향으로 항해하여 인도의 서부 캘리컷에 도착합니다. 아시아에서 오는 상품을 아랍 상인이나 이탈리아 상인 등 중간 과정을 몇 차례 거쳐서 비싼 값에 수입하느니 멀고 험난하더라도 인도에서 직수입하는 것이 낫다고 판단한 겁니다.

한편 일본과 아라비아반도 사이의 바다에서는 훨씬 오래전부터 아시아 상인이 활발하게 활동하고 있었습니다. 바스쿠 다 가마의 신항로가 아시아 상인의 항로와 자연스럽게 겹쳐지면서 포르투갈 상인이 중국 남부까지 오게 되었고, 중국 마카오에 거점을 마련하는 데 성공했지요. 그러던 어느 날 포르투갈 상인이 타고 있던 중국 선박이 표류하여 일본 다네가시마라는 섬에 도착하는데, 그 지역 영주가 포르투갈 상인에게 은을 지불하고 포르투갈제 화승총 2정을 구입합니다. 일본사에서 무척 획기적인 사건이었죠.

총은 대포에서 비롯되었고 초창기 대포는 청동으로 만들었습니다. 그러니 무거운 데다가 내구성도 크지 않았죠. 이후 유럽이 철제 대포를 발명하면서 대포는 가볍고 단단해졌고, 점점 작아지더니 한 사람이 휴대할 수 있는 총이 등장했습니다. 나는 새도 떨어뜨린다는 뜻으로 '조총'이라는 별칭을 얻은 당시의 총은 서서히 일본 전역에 알려졌습니다.

앞서 일본은 100년 넘게 전국시대였다고 했지요? 그 당시 유력한 다이묘 중에 오다 노부나가라는 사람이 있었습니다. 그는 조총을 전투에 사용하려고 유럽에서 제작자를 초빙하고 공장을 지어 대량생산에 성공했습니다. 그러고는 당시 전국 최강의 기마부대를 보유한 한 다이묘와 한판 붙는데요, 이 전투에서 승리를 거두면서 전국 통일의 기초를 닦습니다. 이처럼 조총이 일본에 전래된 계기와 경로는 당시 세계사의 흐름과 밀접합니다. 그 여파가 임진왜란에까지 미쳤고요. 비슷한 시대에 조총과 함께 일본에 들어온 것이 또 하나 있는데요, 바로 서양의 천주교입니다. 일본 민중뿐 아니라 다이묘와 사무라이 세계에도 널리 퍼졌지요. 임진왜란의 선봉장 고니시 유키나가 역시 천주교 신자였습니다.

고니시는 부산진성과 동래진성을 넘어 파죽지세로 북상합니다. 일본군이 통과한 문경새재나 신립이 전사한 충주 탄금대를 찾아가 아이와 함께 당시 상황을 떠올려 봐도 좋겠습니다. 충주 방어선이 무너지자 조선의 조정은 파천을 결정합니다. 일본군이 한성, 개성, 평양으로 계속 북상하는 사이 선조는 그보다 한 발씩 먼저 달아나 압록강 바로 앞의 의주까지 갔죠. 어린 시절 드라마 「임진왜란」에서 일본군이 조선의 성을 하나하나 점령하는 장면을 볼 때마다 무척 가슴이 아팠던 기억이 납니다. 조선의 왕과 신하가 우왕좌왕하며 피란 가는 모습에 화도 났고요. 이런 장면만 계속 나왔다면 더는 드라마를 보지 않았을지도 모릅니다.

바로 그때 영웅이 등장했습니다. 이순신이죠. 관군이 연전연패하는 동안 이순신은 임진왜란 3대 대첩의 하나로 꼽히는 한산대첩을 비롯해 여러 전투에서 연전연승을 거둡니다. 이순신의 흔적 역시 전국 곳곳에서 찾을 수 있지요. 이순신 관련 유적 탐방을 목표로 아이와 함께 역사 여행을 떠나도 나눌 수 있는 이야기가 아주 많을 겁니다.

이순신 하면 바로 따라붙는 소재가 하나 더 있지요. 거북선입니다. 영화 「명량」을 보면 거북선이 등장하는데, 전 처음에는 좀 의아했습니다. 칠천량해전 패배 이후 남은 배라고는 모두 열두 척이었고, 거북선은 없었던 것으로 알고 있었으니까요. 그런데 영화 중간에 거북선 수리가 한창이던 어느 날 밤, 배가 불타는 장면이 나오더군요. 결국 원래의 사실로 돌아간 셈이죠. 사건의 진행 과정은 창작하고 결과는 역사적 사실에 부합하게 처리한 것인데, 이순신과 조선 수군의 아이콘 거북선이 불타는 장면을 삽입해 명량해전의 승리를 더욱 극적으로 보여 주고자 한 것이 아닐까 싶습니다.

거북선이 승리의 아이콘이 된 이유는 두 가지로 정리할 수 있을 것 같습니다. 첫째는 튼튼함입니다. 거북선은 해전에서 늘 돌격대 역할을 했습니다. 적진 한가운데로 돌격해서 온몸으로 부딪히며 왜선을 격파하는 장면이 임진왜란을 다룬 영화나 드라마에서 자주 등장하죠. 둘째는 천장입니다. 배 위로 천장이 덮여 있어 조선과 일본 수군의 직접적인 접촉을 차단했지요. 특히 천장 중간중간 쇠 송곳이 조밀하게 꽂혀 있어 적이 배 위에 올라타는 것도 불가능했습니다. 이런 특징을 지니고 있다 보니 '거북선은 철갑선'이라는 오해도 생겨났습니다. 천장에 쇠 송곳이 박혀 있던 건 사실이지만 천장까지 철로 만든 건 아니니까 철갑선이라고 하긴 어렵죠. 거북선 이야기를 좀 길게 했는데요, 아이들이 임진왜란은 몰라도 거북선 이야기에는 늘 귀를 기울입니다. 서울 용산의 전쟁기념관에 가면 정조 때 발간된 『이충무

공전서』를 토대로 1:2.5의 비율로 복원한 거북선 모형을 볼 수도 있습니다.

이순신의 수군 못지않게 임진왜란 초기의 전황을 뒤바꾼 이들이 또 있습니다. 의병입니다. 임진왜란 당시 활약한 의병에 대해서는 전 20권의 『박시백의 조선왕조실록』(박시백, 휴머니스트, 2015) 중 제10권 선조실록 편을 보시기 바랍니다. 만화로 되어 있어서 부모와 아이가 함께 임진왜란의 전체 과정을 재미있게 접할 수 있는 책인데요, 다른 책에 비해 의병의 활약을 비중 있게 다루었습니다.

수군과 의병이 활약하면서 관군도 힘을 내기 시작했습니다. 그 대표적인 전투가 1592년 10월의 진주성 전투입니다. 도요토미 히데요시는 일본 수군이 이순신에게 패하여 전라도 공격에 차질이 생기자, 육로를 이용해 전라도로 가는 관문인 진주성을 공격하라고 명을 내렸습니다. 이 전투에서 김시민이 전사하기는 했지만, 값진 승리를 거두고 일본군의 서진을 막는 데 성공합니다. 이 전투를 진주대첩이라 부릅니다.

이순신이 해전에서 승리하고 의병이 전국에서 활약할 무렵, 의주에 있던 조선의 조정에 또 하나의 희소식이 전해집니다. 명나라 장수 이여송이 4만 군사를 이끌고 온 것입니다. 사실 임진왜란이 일어나고 3개월쯤 지났을 때 명나라 구원군이 온 적이 있긴 합니다. 그때는

3천 명 정도의 소규모였고, 평양성을 탈환하려다가 일본군에게 패하고 말았죠. 그런데 이듬해가 되어서야 대규모의 명나라 구원군이 온 것입니다.

여기서 잠깐! 명나라의 구원군 파병이 늦어진 이유가 있습니다. 앞에서 말씀드렸지만, 명나라가 건국한 것은 1368년이고 멸망한 해는 1644년입니다. 그러니까 임진왜란 당시는 명나라가 멸망하기 50년 전쯤이죠. 어느 왕조나 비슷하지만 이쯤 되면 국력이 전반적으로 쇠퇴해 있기 마련입니다. 게다가 당시 명나라의 황제는 사치스럽고 무능했습니다. 이런 상황에서 임진왜란이 일어나기 두 달 전에 지금의 중국 서부에 있는 영하라는 지역에서 '보바이의 난'이 일어났고, 명나라 조정은 그 반란을 진압하느라 조선에 신경 쓸 겨를이 없었습니다. 난이 평정되자 그 난을 진압한 이여송이 대군을 이끌고 조선을 도우러 온 것이죠. 이처럼 당시 명나라의 상황을 이야기하면서 아이가 자연스럽게 중국사 전반에 대해서도 관심을 갖게 할 수 있습니다.

1593년 조·명 연합군은 드디어 평양성 탈환에 성공합니다. 이후 기세 좋게 한성을 향해 진격했는데요, 한성을 목전에 두고 벽제관에서 일본군에 패하는 바람에 다시 개성으로 후퇴하고 맙니다. 그 무렵 수원에 있던 권율은 조·명 연합군이 한성을 공격한다는 소식을 듣고 합세하기 위해 행주산성으로 들어갔습니다. 그러나 앞서 말씀드린 것처럼 조·명 연합군이 후퇴하자 권율은 오히려 일본군의 공격을 받는데요, 이때 큰 승리를 거둡니다. 아이와 함께 행주산성에 간다면 이런 권율의 이야기에서부터 자연스럽게 대화를 시작할 수 있겠지요.

이렇게 해서 임진왜란의 3대 대첩으로 불리는 이순신의 한산대첩, 김시민의 진주대첩 그리고 권율의 행주대첩까지 모두 말씀드렸네요. 이후 전쟁은 소강상태에 빠집니다. 명나라군도 일본군도 움직일 생각을 하지 않았거든요. 이여송은 보바이의 난을 진압하자마자 급히 달려온 터였습니다. 평양성을 기분 좋게 넘었지만 벽제관에서 패하면서 그동안 쌓인 피로가 확 느껴졌겠죠. 게다가 명나라 입장에서는 더 이상 싸울 이유가 별로 없었습니다. 애초에 조선을 도우러 온 목적이 일본군이 조선 국경을 통과해 명나라로 쳐들어오는 것을 막는 것이었으니까요. 일본군의 공세를 어느 정도 저지했으니, 더 이상 무리할 필요가 없었던 거죠.

일본도 사정이 좋지 않았습니다. 수군이 이순신에게 패하는 바람에 보급이 끊어졌고 명나라 대군의 존재감도 무시할 수 없었죠. 적당히 이득을 취하고 싸움을 끝내고 싶었습니다. 결국 두 나라는 강화회담에 들어갔고, 명나라가 일본에 사신을 보낸다는 조건으로 일본군은 한성에서 철수하기로 합니다. 그런데 일본군이 남

해안으로 철수한 상황에서 도요토미 히데요시가 뜻밖의 명령을 내립니다. 진주성을 다시 공격하라는 것입니다. 지난 전투에서 패한 굴욕을 갚기 위해서 말이죠. 결국 1593년 2차 진주성 전투에서는 조선군이 패배하고 맙니다. 2차 진주성 전투와 관련해서 가 보아야 할 곳은 경상남도 진주시에 있는 진주성입니다. 진주성에서 가장 유명한 건물은 촉석루입니다. 진주성을 함락시킨 일본 장수들이 촉석루에서 잔치를 벌였는데, 이때 관기인 논개가 왜장을 껴안고 남강으로 몸을 던졌다는 이야기가 전해지는 곳이죠. 촉석루 아래에 작은 섬처럼 떨어져 있는 바위가 하나 있는데요, 논개가 몸을 던진 곳이라 바위 이름이 '의암'義巖입니다. 진주성 안에는 '의기사'라는 논개의 위패를 모신 사당도 함께 있습니다. 그리고 진주성에 가면 꼭 가봐야 할 곳이 있는데요, 앞에서도 말씀드린 국립진주박물관입니다. 상설전시실인 임진왜란실을 따로 두고 있으니 관람해 보길 권합니다.

이후 명나라와 일본 사이에 강화협상이 3년 동안이나 이어지는데요, 결국 협상이 결렬되었고 도요토미 히데요시는 1597년 조선을 다시 침략합니다. 이것을 따로 떼어 정유재란이라고 부르죠. 정유년에 다시 일어난 난리입니다. 정유재란의 하이라이트는 아무래도 명량해전이죠. 이순신이 일본의 간계로 모함을 받아 투옥되고 백의종군하게 되었는데, 원균이 칠천량해전에서 패하고 전사한 뒤 이순신이 다시 삼도수군통제사가 되어 명량해전에서 승리하는 과정이 영화 「명량」에 잘 나타나 있습니다. 1598년 도요토미 히데요시가 죽자 일본군이 철수하는데, 이 과정에서 일어난 노량해전에서 조선군이 승리하면서 7년 전쟁은 대단원의 막을 내립니다. 이 전투에서 이순신이 적의 유탄에 맞아 전사하죠.

임진왜란은 전쟁터였던 조선은 말할 것도 없고, 일본과 중국의 역사에도 대변화를 일으켰습니다. 일본은 전쟁을 일으킨 도요토미 히데요시가 죽자 전국이 둘로 갈라져 큰 전쟁을 치렀고, 그 결과 앞서 말씀드린 에도 막부 시대가 열렸습니다. 중국에서는 명나라가 국내 반란과 조선의 전쟁에 국력을 쏟는 사이에 동북지방에서 만주족이 흥기해 청나라를 건국하고 명나라를 공격합니다. 그 결과 1644년 중국 대륙의 주인공이 청나라로 바뀝니다. 그 와중에 조선은 역시 앞서 말씀드린 병자호란을 겪죠.

임진왜란은 각 나라의 운명만 바꾼 것이 아닙니다. 수많은 사람의 운명도 바꾸었습니다. 일본군은 전쟁이 끝나고 철수하며 조선의 학자와 기술자를 포로로 마구 잡아갔습니다. 그중에는 유학자도 있었고 도공, 공예 기술자, 활자공도 있었습니다. 강항이라는 유학자는 전쟁 직후 끌려가 일본 성리학 발전에 큰 영향을 주었습니다. 일본 도자기의 발전에 기여한 조선 도공들의 이야기도 수없이 전해지지요. 조선에도 수많은 흔적이 남았습니다. 조선으로 귀화해 일본과 맞서 싸운 사야가라는 일본인이 있었고 명나라 구원군이 자국에서 신으로 섬기던 관우를 조선에서도 섬기고 싶어 해서 조선 조정이 관우의 사당을 만들어 주기도 했습니다. 그 가운데 지금까지 남아 있는 것이 서울 동묘이지요.

임진왜란은 단지 조선과 일본, 두 나라만의 전쟁이 아니었습니다. 당시 세계 최강국이었던 명나라까지 개입한 국제전이었죠. 나아가 앞서 조총의 사례에서 본 것처럼, 대항해 시대라는 흐름과 연동된 세계사적인 사건이기도 했습니다. 그러니 아이와 역사 공부를 시작할 때 임진왜란에서부터 차근차근 풀어 나가 보시길 추천합니다. 풍부한 책과 드라마, 영화를 아이와 함께 보며 자연스럽게 역사에 입문하고, 유적으로 여행을 떠나 역사 보는 눈을 기르고, 우리나라뿐 아니라 이웃 나라까지도 살펴 볼 계기를 얻을 수 있을 겁니다.

나오는 글

# '함께' 차이를 즐길 수 있기 바라며

"차이를 즐겨라!"

제가 쓴 책에 사인을 할 때 항상 써 넣는 여섯 글자입니다. 세상에서 만나는 수많은 차이를 '틀린 것'이 아니라 '다른 것'으로 여기고, 배척할 것이 아니라 오히려 품고 즐기면 좋겠다는 메시지를 담고 있지요. 그런데 문장을 쓸 때마다 약간의 불편함을 느낍니다. 분명 좋은 메시지를 전하기 위해 쓰는 건데 왜 불편할까? 생각해보니 답은 가까운 곳에 있었습니다.

'나는? 정작 나는 어떤가?'

이런 자문이 생기기 때문입니다. 세상을 살다 보면 이 문장과 정반대로 생각하고 행동하는 나를 볼 때가 많습니다. 내가 이런 말을 할 자격이 있나? 나도 하지 못하는 일을 아이들에게 해야 한다고 말하고 있는 건 아닐까? 이런 생각에 부끄러울 때가 많지요. 그럼에도 이 문장을 포기하지 않고 지금까지 계속 사용하는 건, 역설적이게도 이러한 자문이 '나는 어떤가?'라고 성찰할 수 있게 끊임없이 자극을 주기 때문입니다. "차이를 즐겨라!"는 결국 제 자신을 위한 문장이기도 한 것이죠.

아이와 역사를 소재로 이야기 나눌 때도 비슷한 경험을 합니다. 아이가 '다르다'의 생각 습관을 기르고 더 나아가 차이를 즐기게 되길 바라는 마음으로 메시지를 던지면, 그것이 아이에게 가서 머물지 않고 저에게로 되돌아오곤 합니다. 마치 부메랑처럼 말이죠. 다양한 역사 소재로 대화를 나누며 아이에게 차이를 즐기라는 메시지를 전하다 보면, 장담하건대 그 메시지가 방향을 바꾸어 자신에게 돌아오는 경험을 하게 될 겁니다. 그럴 때 외면하지 말고 아이와 함께 고민하면 어떨까 싶습니다. 이 책의 제목이 『아이와 함께 역사 공부하는 법』인 것도 그런 이유입니다.

어린이책 작가가 되기 전에 저는 어린이와 관련된 일을 해 본 적이 없습니다. 편집자 생활을 하면서 글을 쉽게 쓰는 훈련을 자연스럽게 한 덕에 그것을 작은 토대 삼아 어린이책을 쓰기 시작했을 뿐이지요. 겨우 10년 동안 드문드문 10여 종의 어린이책을 쓴 것이 전부이니, 대단한 '어린이 역사교육론' 같은 것이 생겼을 리는 없습니다. 다만 '어린이를 모르는 어린이책 작가'라는 콤플렉스를 극복하기 위해 제 아이와 역사 대화를 꾸준히 나누었습니다. 지난 수년 동안 함께 책 보고 영화 보고 그림 보고 역사 지도 보고 박물관 다니고 답사 다니면서 나눈 이야기와 생각들을 축척해 이 책을 쓰게 되었습니다. 같은 부모로서 '아이와 이렇게도 대화할 수 있겠구나' 하고 함께 생각해 볼 수 있는 작은 계기가 되었으면 하는 바람입니다.

**박시백의 조선왕조실록** (전20권) 박시백 지음, 휴머니스트, 2015

박시백 화백이 만화로 그린 조선왕조실록입니다. 아이와 함께 조선시대를 공부하기에 좋은 책이죠. 분량이 방대하니, 영화나 드라마를 통해 먼저 본 비교적 친숙한 시기부터 읽어 나가도 좋습니다. 임진왜란에 대한 내용은 10권 '선조실록'의 후반부에 담겨 있는데요, 의병 활동에 대해 충실히 다룬 것이 특징이고, 특히 명과 일본 간의 강화협상 대목이 재미있습니다.

**역사 토크 박시백의 조선왕조실록** (전2권) 박시백·신병주·남경태·김학원 지음, 휴머니스트, 2017

『박시백의 조선왕조실록』을 토대로 진행한 70회의 팟캐스트 내용을 재구성한 책입니다. 네 사람의 토크로 조선시대 여러 사건들의 핵심 쟁점을 선명하게 드러냅니다. 특히 서로 다른 시선이 교차하면서 하나의 사건에 대한 다양한 해석 가능성을 보여 주고, 예리한 분석과 뜨거운 토론으로 조선사의 명장면을 확인시켜 줍니다.

**교양 있는 우리 아이를 위한 세계역사 이야기** (전5권) 수잔 와이즈 바우어 지음, 꼬마이실, 2004

세계사를 마치 엄마, 아빠가 어린 자녀를 무릎에 앉혀 놓고 옛날 이야기하듯 들려주는 책입니다. 분량이 많지만 재미가 있고 활자도 크고 삽화도 들어 있어서 책장이 금방금방 넘어갑니다. 아이와 함께 대화하며 읽기에 딱 좋은 책입니다.

**광해군** 한명기 지음, 역사비평사, 2018

**광해군, 그 위험한 거울** 오항녕 지음, 너머북스, 2012

두 종 모두 조선 15대 임금 광해군의 인물평전입니다. 함께 보시면 광해군에 대한 학계의 상반된 평가를 살펴볼 수 있습니다. 이 두 종의 광해군 평전을 읽고, 아이에게 한 인물에 대한 해석이 얼마든지 다를 수 있다는 점을 보여 주면 좋겠습니다.

**역사 논쟁** 최영민 지음, 풀빛, 2010

중국의 동북공정, 식민지근대화론, 임나일본부설, 위안부, 야스쿠니 신사 참배, 독도 문제 등 우리나라를 둘러싼 동아시아의 다양한 역사 논쟁을 소개하는 어린이책입니다. 유사한 문제들을 다룬 청소년책인 『심용환의 역사 토크』(심용환 지음, 휴머니스트, 2017)를 함께 보셔도 좋습니다.

**역사의 미술관** 이주헌 지음, 문학동네, 2011

자크 루이 다비드를 비롯한 서양 회화의 거장들이 남긴 명화를 통해 역사 읽기를 시도한 책입니다. 옛 그림을 공부하면 역사 이해의 폭을 넓히는 데 도움이 되는데요, 그런 의미에서 일독을 권합니다. 『그림 속의 음식, 음식 속의 역사』(주영하 지음, 사계절, 2005), 『비주얼 경제사』·『세계화의 풍경들』·『세계화의 단서들』(송병건 지음, 아트북스, 2015·2017·2019) 등 그림 자료가 풍부한 역사책을 평소에 많이 접하면, 아이와 박물관이나 미술관에 갈 때 할 이야기가 많아질 겁니다.

**홍순민의 한양 읽기** (전3권) 홍순민 지음, 눌와, 2017

한 권은 도성, 두 권은 궁궐에 관한 이야기입니다. 역사 서술과 답사기 형식이 결합되어 있어 도성과 궁궐의 과거와 현재를 동시에 살펴볼 수 있습니다. 글이 전문적이면서도 이해하기 쉬운 편이어서 책장에 꽂아 두고 사전처럼 활용하기에도 좋습니다.

**아틀라스 역사 시리즈** (전5권) 사계절, 2004~2016

한마디로 말해 '지도와 함께 보는 역사책'입니다. 한국사, 세계사, 중국사, 일본사, 중앙유라시아사 등 총 다섯 권으로 이루어진 시리즈죠. 텍스트와 지도를 동시에 읽을 수 있게 되어 있어서, 읽으면 역사에 대한 이해가 시간에서 공간으로 확장되는 느낌을 받을 수 있습니다.

**세 나라는 늘 싸우기만 했을까?** 강창훈 지음, 책과함께어린이, 2013

한국, 중국, 일본의 문화교류사를 담은 책입니다. 특히 임진왜란 당시 세 나라 사이에 있었던 일들을 많이 담았습니다. 일본에 간 조선 유학자와 도공 이야기, 조선으로 귀화해 일본과 맞서 싸운 일본 사무라이 이야기, 임진왜란 이후 우리나라에 생긴 관우의 사당, 동묘에 대한 이야기를 읽어 보시기 바랍니다.

**이순신을 만든 사람들** 고진숙 지음, 한겨레아이들, 2004

거북선 설계 제작자, 바다와 해전 전문가, 무기 제조자, 전략가 등 이순신의 빛나는 승리를 가능하게 한 숨은 조력자들의 이야기를 담았습니다. "역사는 한 사람의 힘으로 이루어질 수 없다"는 메시지를 주는, 아주 의미 깊은 책입니다.

**철의 시대** 강창훈 지음, 창비, 2015

철과 인류가 함께 한 3천 년의 역사를 담은 책입니다. 대포와 총의 발명, 대항해 시대와 조총의 일본 전래, 조총 부대와 기마 부대가 격돌한 나가시노 전투 이야기를 통해, 임진왜란이 세계사적 전쟁이었음을 새삼 확인할 수 있습니다.

**제국의 바다 식민의 바다** 주강현 지음, 웅진지식하우스, 2005

대항해 시대를 시작으로 바다를 통한 동아시아 교류사를 다룬 책입니다. 포르투갈 상인과 일본인의 첫 만남, 조총을 시험 발포하는 장면, 그들 간에 조총 거래가 이루어지는 과정이 흥미롭게 묘사되어 있습니다.

**이순신을 찾아 떠난 여행** 이진이 지음, 책과함께, 2008

여행을 좋아하는 방송작가가 쓴 이순신 유적 답사기입니다. 아산 현충사를 비롯해 부산, 거제, 통영, 여수 등 임진왜란의 격전지와 이순신의 흔적이 남아 있는 곳들을 직접 다니며 남긴 기록입니다. 이순신 관련 유적 탐방을 목표로 가족여행 계획을 세운다면 이 책을 참고하기 바랍니다.

**아이와 함께 역사 공부하는 법**
**: 시야를 넓게, 생각을 깊게**

2019년 12월 14일 초판 1쇄 발행

**지은이**
강창훈

---

**펴낸이**
조성웅

**펴낸곳**
도서출판 유유

**등록**
제406-2010-000032호(2010년 4월 2일)

**주소**
경기도 파주시 책향기로 337, 301-704 (우편번호 10884)

**전화**
031-957-6869

**팩스**
0303-3444-4645

**홈페이지**
uupress.co.kr

**전자우편**
uupress@gmail.com

**페이스북**
www.facebook
.com/uupress

**트위터**
www.twitter
.com/uu_press

**인스타그램**
www.instagram
.com/uupress

**편집**
사공영, 김은경

**디자인**
이기준

**마케팅**
송세영

**제작**
제이오

**인쇄**
(주)민언프린텍

**제책**
(주)정문바인텍

**물류**
책과일터

ISBN 979-11-89683-26-9 04900
979-11-85152-36-3 (세트)

이 도서의 국립중앙도서관 출판예정도서목록(CIP)은 서지정보유통지원시스템 홈페이지(seoji.nl.go.kr)와 국가자료공동목록시스템(www.nl.go.kr/kolisnet)에서 이용하실 수 있습니다.(CIP제어번호: CIP2019049194)

이 도서는 2019 새로운 경기,
우수출판콘텐츠
제작지원 선정작입니다.